AR
DAITH
OLAF

I Ffion, Noa a Math

AR
DAITH
OLAF

ALUN DAVIES

Am fwy o wybodaeth am y nofel ewch i
www.ardrywyddllofrudd.co.uk

Diolch i'm rhieni am eu cefnogaeth, ac yn enwedig i Mam am
ei chyngor a'i chywiriadau. Diolch i bawb yn y Lolfa sydd wedi gweithio
ar y llyfr, yn enwedig Meleri, sydd wedi bod yn gefnogol
ac yn amyneddgar tu hwnt. Diolch i Catrin am fod yn hyfryd.

Argraffiad cyntaf: 2021
© Hawlfraint Alun Davies a'r Lolfa Cyf., 2021

*Mae hawlfraint ar gynnwys y llyfr hwn ac mae'n anghyfreithlon
llungopïo neu atgynhyrchu unrhyw ran ohono trwy unrhyw ddull
ac at unrhyw bwrpas (ar wahân i adolygu) heb gytundeb
ysgrifenedig y cyhoeddwyr ymlaen llaw*

Cynllun y clawr: Tanwen Haf

Rhif Llyfr Rhyngwladol: 978 1 80099 107 1

Dymuna'r cyhoeddwyr gydnabod cymorth ariannol
Cyngor Llyfrau Cymru

Cyhoeddwyd ac argraffwyd yng Nghymru
ar bapur o goedwigoedd cynaliadwy gan
Y Lolfa Cyf., Talybont, Ceredigion SY24 5HE
e-bost ylolfa@ylolfa.com
gwefan www.ylolfa.com
ffôn 01970 832 304
ffacs 01970 832 782

Taliesin

Ym mhentref Richfield, Ohio, yn UDA, mae yna ysgol o'r enw Revere High School. Yn y saithdegau roedd un disgybl arbennig yn mynychu'r ysgol a ddaeth yn adnabyddus ymysg y plant eraill yn ei ddosbarth fel un oedd yn hoffi chwarae'r clown. Ar y cyfan roedd yn fachgen tawel, heb lawer o ffrindiau, ond byddai'n aml yn gwneud pethau dwl – dechrau brefu yng nghanol gwersi, neu esgus cael ffitiau o flaen athrawon – i ddenu sylw ato'i hun. Roedd e'n ymddwyn fel hyn mor aml nes i'w gyfoedion ddechrau cyfeirio at chwarae triciau di-chwaeth yn y dosbarth fel 'Doing a Dahmer', ar ôl y bachgen hwnnw, Jeffrey Dahmer. Bu farw Jeffrey Dahmer yn 1994, mewn carchar yn Wisconsin. Roedd wedi cael ei ddedfrydu am lofruddio 17 o ddynion ifanc rhwng 1978 ac 1991. Mae 'Doing a Dahmer' yn meddwl rhywbeth gwahanol iawn erbyn hyn. Byddai'r wasg yn cyfeirio at Dahmer fel 'The Milwaukee Monster' neu 'The Milwaukee Cannibal'.

Am gyfnod, mi wnaethon nhw greu ffugenwau gwirion i fi, fel y 'Caravan Killer Cop', ond mae'r sylw hynna wedi hen stopio erbyn hyn. Pan arestiwyd Dahmer daeth yr heddlu o hyd i ben dyn ifanc yn ei oergell. Dim ond pecyn o ham a hanner potel o laeth sydd yn fy un i.

Dwi'n ysgwyd fy mhen i geisio clirio fy meddwl rhag y delweddau afiach. Mwy a mwy, ers dechrau gweithio gyda Mari, fydda i'n dal fy hun yn meddwl am lofruddwyr adnabyddus, a'r holl erchyllltra sy'n dod yn eu sgil. Dwi'n anadlu allan ac yn cau fy llygaid, yn ceisio meddwl am rywbeth arall, ond yr unig beth wela i ydy'r wynebau dydw i ddim eisiau eu gweld. Wyneb MJ, mewn poen a chyllell yn ei ochr. Wyneb Lois Fairchild, cyn i mi ei gorchuddio gyda chlustog a'i mygu hi. Wyneb Gwennan Fairchild, gydag adlewyrchiad eiliadau olaf bywyd ei mam yn ei llygaid, a'r gwaed yn tywallt o'i gwddf. Y pethau wnes i eu gweld a'u gwneud.

Dwi'n ochneidio ac yn rhwbio fy llygaid yn galed, yn flin ac yn rhwystredig gyda mi fy hun. Mae'n rhaid i mi ddianc o'r fflat yma – dwi'm yn cofio'r tro diwetha i mi fynd allan. Mae'r cloc ar y wal yn dangos ei bod hi'n naw o'r gloch y nos, ac mae angen siopa bwyd arna i ers sawl diwrnod bellach. Cyn i mi lwyddo i berswadio'n hun i ohirio'r siwrnai unwaith eto, dwi'n gwisgo fy esgidiau ac yn codi ar fy nhraed. Mae pentwr o amlenni ar y bwrdd yn y cyntedd, a dwi'n cerdded draw ato ac yn dewis un sydd ddim yn edrych yn bwysig. Ar ei chefn, dwi'n ysgrifennu rhestr gyflym o'r hyn sydd ei angen o'r archfarchnad, cyn stwffio'r amlen i 'mhoced i a mynd i chwilio am fy allweddi.

Ar y ffordd allan gwelaf fy hun yn y drych uwchben y bwrdd. Mae angen eillio a chribo fy ngwallt, ac mae fy llygaid yn boenus o goch. Gan ysgwyd fy mhen ar y dyn truenus sy'n fy wynebu, a'i weld e'n ysgwyd ei ben yn ôl arna i, dwi'n gwisgo fy nghot yn sydyn a, chydag anadl ddofn, yn agor drws y fflat.

Mari

'... ond tu ôl i ddrws cadarn y ffermdy unig yna yng nghefn gwlad Bavaria, roedd cyfrinach erchyll yn llechu. Wrth i'r heddwas gerdded i'r cyntedd a galw... O, ffyc sêcs!'

Dwi'n gwasgu'r botwm i stopio'r recordio yn flin, ac yn plygu fy ewin 'nôl yn boenus wrth wneud hynny. Dwi'n rhegi eto, yn fwy lliwgar y tro hwn, ac erbyn i mi orffen mae seiren aflafar yr ambiwlans wnaeth sbwylio'r recordiad wedi diflannu i'r pellter. Dyma'r broblem efo recordio yn y fflat, a honno ar lôn mor brysur – mae pob smic oddi allan yn dod trwy'r ffenestri tena'.

Dwi'n meddwl ar adegau fel hyn y byddai bywyd wedi bod yn haws petawn i wedi aros adra, yn fy hen stafell wely yn nhŷ cysurus Mam a Dad ar gyrion Pwllheli. Anaml fyddai seiren ambiwlans, neu sŵn o unrhyw fath, yn tarfu arna i yn fan'na. Ond dwi'n ymwybodol hefyd mai dyna un o'r prif resymau pam wnes i symud ffwrdd – i ddianc rhag byd tawel Mam a Dad, i fyw yng nghanol tref ac i fod yn annibynnol. Pan ges i gynnig swydd ar bapur newydd y *Cambrian News* yn Aberystwyth, ro'n i'n gwybod bod rhaid i mi fachu ar y cyfle.

Doedd Dad, yn enwedig, ddim yn deall yr ysfa i symud i rywle mwy prysur, mwy bywiog. Yn wreiddiol o Haiti, fe wnaeth o ffoi o'r ynys yn y nawdegau cynnar yn sgil y *coup d'état* diweddaraf a'r ymladd a'i dilynodd, a dianc i Lundain. Dyna lle wnaeth o gwrdd â Mam, a phriodi, cyn symud efo hi i Bwllheli, lle cafodd hithau ei magu. Mae o bellach wedi ymgartrefu yno'n llwyr, wedi dysgu Cymraeg, yn un o aelodau blaenllaw y côr meibion lleol, ac yn gweld dim byd o'i le ar fyw bywyd tawel, digynnwrf. Ond dw i angen rhywbeth... arall.

Dwi'n ochneidio, ac yn tynnu'r gliniadur yn agosach i baratoi am recordiad newydd. Fel dwi wedi ei wneud ganwaith o'r blaen, dwi'n ystyried ydy hyn werth yr holl drafferth – treulio oriau pob wsos yn ymchwilio, ysgrifennu, recordio a golygu podlediad sydd ddim yn denu mwy na rhyw ddau gant o wrandawyr ar ddiwrnod da. Ond, dwi'n atgoffa'n hun, fod podlediadau *true crime* yn boblogaidd dros y byd, a *Ffeil Drosedd* yw'r unig un yn Gymraeg hyd yn hyn. Ac er bod y rhifau gwrando wedi bod yn cynyddu'n raddol pob wsos, cafwyd naid sylweddol dros y tri mis diwethaf, diolch yn bennaf i'r cyhoeddusrwydd yn sgil cyfraniad Taliesin fel 'arbenigwr'.

Roeddwn i'n gorffen golygu'r bennod ar yr *Yorkshire Ripper* pan gesh i'r syniad o ofyn iddo fod yn westai ar y rhaglen. Ro'n i'n cyflwyno'r gyfres ar fy mhen fy hun ar y pryd, a dwi'n cofio meddwl y bysa clywed rhywun arall o bryd i'w gilydd yn newid braf i'r gwrandawyr, yn ogystal â rhoi elfen newydd i'r podlediad.

Y peth cynta wnes i oedd ffonio Anni Fflur, hen ffrind o'r brifysgol sydd bellach yn gweithio yng ngorsaf heddlu Aberystwyth a gofyn a oedd ganddi syniadau am rywun fedrai siarad yn awdurdodol am weithio ar achosion llofruddiaeth.

'Ddweda i un peth wrtho ti'n syth, Mari – gei di ddim unrhyw un sy'n aelod o'r heddlu ar hyn o bryd,' oedd ei hateb hi. 'Ma Saunders, pennaeth yr orsaf, 'di neud e'n hollol glir ei bod hi'n gwahardd pob aelod o staff rhag siarad 'da'r wasg am unrhyw beth i' neud â gwaith yr heddlu.'

'OK – be am rywun sy ddim yn aelod o'r heddlu, 'ta? Ditectifs preifat, er enghraifft?'

'Ditectifs preifet?' atebodd Anni gan chwerthin. 'Yn Aberystwyth y'n ni, Mari, dim Los Angeles! Na, sdim neb fel'na o gwmpas. Ond falle...' Oedodd am ychydig. 'Wyt ti 'di clywed am Ben Morgan-Jones? MJ o'dd pawb yn ei alw e?'

'Y ditectif gafodd ei anafu gan y llofrudd 'na – Geraint... paid â deud 'tha i...Geraint Ellis?' gofynnais yn chwilfrydig, syniad yn dechrau datblygu yn fy meddwl.

'Ie, dyna fe. Ma cwpwl o flynyddoedd ers 'nny, a ma Ben 'di ymddeol nawr, ond o'dd e'n dditectif da ar y pryd – yn gwbod ei stwff. Falle fydde gyda fe ddiddordeb.'

Ond dim ond hanner gwrando oeddwn i erbyn hyn. Cyn gynted ag y clywais i enw Ben Morgan-Jones fe neidiodd enw arall i fy meddwl i'n syth – Taliesin MacLeavy. Fo achubodd bywyd MJ, yn ogystal â dal Geraint Ellis. Roedd yn stori fawr ar y pryd, ac roedd enwau'r ddau ditectif wedi eu cysylltu yn fy meddwl i fyth ers hynny.

'Be am Taliesin MacLeavy?' gofynnais.

'MacLeavy? I fod ar dy raglen di?' holodd Anni'n amheus. 'Sai'n siŵr. Ma'r boi 'di ca'l amser caled dros y blynyddoedd diwetha – rhwng beth ddigwyddodd gydag MJ, ac wedyn achos Cynan Bould a marwolaeth Lois Fairchild.'

'Ond dydy o ddim yn aelod o'r heddlu bellach, nagdi?'

'Na, fe adawodd e gwpwl o fisoedd 'nôl,' atebodd Anni. 'Roedd Saunders yn awyddus iddo fe aros 'mlân, er gwaetha popeth, ond wedyn dda'th teulu Lois Fairchild ag achos llys yn ei erbyn a... wel, fe benderfynodd ei fod e 'di ca'l digon. Ond gwranda – a chadwa hyn o dan dy het, Mari – ma gyda fe brobleme. Problem yfed am un peth, a honno'n un fawr o beth glywes i.'

Ond roeddwn i wedi gwneud y penderfyniad yn barod. Byddai Taliesin yn berffaith ar gyfer y podlediad – er gwaetha'r ffaith fod y penwadau papur newydd am y 'Caravan Killer Cop' wedi hen ddiflannu erbyn hyn, a'r newyddiadurwyr a'u golygyddion wedi symud 'mlaen, fyddai ei hanes yn dal i ddenu diddordeb ffans true crime. Ond wrth gwrs, ar y pwynt yna, doedd gen i'm syniad pa mor anodd fysa cael gafael ar Taliesin, heb sôn am ei berswadio i gymryd rhan.

Yn ffodus, dyfalbarhad ydy un o nodweddion mwyaf hanfodol newyddiadurwr, ac mi gymrodd sawl wythnos o alwadau ffôn di-ben-draw, yn ogystal ag ymweliad â'i fflat, cyn iddo gytuno i gymryd rhan yn y podlediad.

Ei bennod gyntaf oedd un ar Fred a Rose West, y llofruddwyr oedd yn byw yn 25 Cromwell Street, yng Nghaerloyw. Ro'n i'n tybio y bysa'r recordiad yn cymryd rhyw awr a hanner, ond er i mi brynu potel o win o flaen llaw i helpu lacio'i dafod a setlo'i nerfau, roedd yn rhaid i mi fynd allan hanner ffordd drwy'r recordiad i nôl potel arall, gan ei fod yn clecio fel tasa fory ddim i gael. Dim 'mod i'n cwyno, wrth gwrs, roedd y cefndir ychwanegol a'r dadansoddiad o'r meddylfryd y tu ôl i'r troseddau yn agoriad llygad. Mi fysach chi'n taeru ei fod o wedi gweithio ar yr achos ei hun.

'Yn fy marn i, fe wnaeth un digwyddiad penodol droi Fred West yn un o lofruddwyr mwya gwaradwyddus Prydain,' cofiaf Taliesin yn dweud, efo gwydraid gwag yn ei law. 'Yn 1958, cafodd West ddamwain beic modur – roedd yn mynd i lawr rhiw, fe fethodd y tro a gyrru'n syth mewn i wal. Roedd yn ddamwain ddifrifol. Fe holltodd ei helmed yn ddau ac fe gafodd niwed sylweddol i'w ben. Roedd West yn anymwybodol am saith diwrnod, a phan ddychwelodd adre wythnosau'n ddiweddarach roedd e wedi newid. Roedd yn fyr ei dymer, ac yn ymwybodol iawn o'r creithiau amlwg ar ei wyneb. Byddai'n dweud yn aml ei fod yn teimlo iddo ddychwelyd o dir y meirwon. Dwi'n amau fod yr anaf i'w ben wedi effeithio ar ei *amygdala*, rhan o'r ymennydd sy'n gyfrifol am emosiwn a hunanreolaeth. Er na wnaeth West ladd neb nes iddo gwrdd â Rose ddeg mlynedd yn hwyrach, unwaith iddo gael y ddamwain honno roedd e fel gwn wedi ei lwytho, a Rose wedyn oedd y person wnaeth ei helpu ef i danio'r gwn.'

'Difyr – ac ydy niwed i'r *"amygdala"* – ia? – wedi achosi pobol eraill i ddechrau lladd?' gofynnais i. 'Niwed i'r rhan arbennig yna o'r ymennydd?'

Roedd Taliesin yn dawel am dipyn cyn ateb.

'Ydy,' meddai o'r diwedd. 'Nid fe yw'r unig un.'

Dwi'n cofio gobeithio y byddai Taliesin yn ehangu ar y pwynt yna, ond roedd yn amlwg nad oedd o'n awyddus i wneud, a ges i'r teimlad mai'r peth gorau i wneud fysa symud ymlaen.

Wrth ei wylio'n traddodi o wythnos i wythnos, yn edrych o gwmpas yr ystafell ond byth yn uniongyrchol arna i, beth sy'n drawiadol yw ei fod yn gwneud hynny heb nodiadau na deunydd ymchwil o unrhyw fath – mae pob theori, pob darn o dystiolaeth arswydus wedi eu storio tu ôl i'r llygaid coch, gwag yna.

Yr wythnos wedyn, ar ôl perswadio Taliesin i ddod 'nôl eto, mi wnes i'n siŵr fod gen i botel lawn o rym yn barod iddo, a dyna'r drefn ers hynny – mi fydda i'n cysylltu efo fo dros y penwythnos er mwyn gadael iddo wybod pa achos fydd dan sylw yn y bennod nesaf, ac mi fydd o'n dod i'r fflat i wneud y recordiad. Yn aml, mi fydd o'n llyncu gwydraid mawr o rym a blac cyn tynnu ei gôt hyd yn oed. Rhai dyddiau mae'n anodd gwybod ydy Taliesin newydd godi, neu heb fynd i'w wely eto – mae ei wallt yn flêr ac mae angen cawod ac eillio arno.

Ddyddiau eraill, mi fydd o'n edrych yn ddigon trwsiadus. Ond does dim dianc rhag y llygaid marw.

Mi fydda i'n ceisio cynnal rhyw fath o sgwrs efo fo cyn i ni ddechrau recordio – mân siarad: gofyn sut oedd ei wythnos, neu os ydy o 'di clywed gan ei deulu yn ddiweddar. Ar y cychwyn roedd Taliesin yn tueddu i ateb mewn brawddegau un gair, yna'n troi ei sylw at ei ddiod, ond erbyn hyn mae o wedi ymlacio digon yn fy nghwmni i fedru cynnal rhyw lun ar sgwrs gall.

Ond unwaith fyddwn ni'n dechrau recordio mae ei agwedd o'n newid yn gyfan gwbl. Fydda i'n gofyn cwestiwn am elfen o'r achos, ac yna'n eistedd 'nôl wrth i Taliesin gymryd yr awenau, yn diflannu ar ôl sgwarnogod wrth sôn am achosion eraill, neu am ddamcaniaethau seicoleg droseddol. Yn aml mi fydd o'n colli edefyn ei ddadl, yn enwedig ar ôl hanner potel a mwy o rym, ac mi fydda i'n gorfod ei atgoffa ble ydan ni, ac yna'n ceisio rhoi trefn ar bethau wrth olygu. Ond ar ddiwedd y sesiwn, pan mae'r recordio ar ben a dwi wedi dechrau cadw'r offer ac wrthi'n diolch i Taliesin, fedra i ddim llai na sylwi fod y llygaid coch, er ychydig yn fwy cymylog o ganlyniad i'r rym, mor wag a chaled ag erioed.

Taliesin

Nos Fawrth yw hi? Neu nos Lun? Dim fod llawer o ots.

Dwi yn Morrisons, yn gwthio un o'r trolis mawr. Mae'n hanner awr wedi naw erbyn hyn – mae'n well gen i siopa tua'r amser yma, ychydig cyn i'r siop gau, gan ei bod hi'n dawelach, ac mae llai o siawns fydda i'n cwrdd ag unrhyw un dwi'n nabod.

Mae'r troli'n llawn: chwe photel o rym, chwe photel o win coch, dwy botel o Ribena, pecyn o ham, tri *pizza* wedi'u rhewi (rhai plaen – fydda i'n rhoi ychydig o ham arnyn nhw cyn eu rhoi yn y ffwrn, os dwi'n cofio) a phedwar neu bump pryd parod sy'n mynd yn y meicrodon. Yn sydyn, dwi'n cofio bod angen papur tŷ bach, ac yn ochneidio. Gas gen i brynu papur tŷ bach – mae'n codi cywilydd arna i, a dwi'n siŵr fod y person tu ôl y til yn fy nychmygu i'n ei ddefnyddio fe. Gan wthio hynny o fy meddwl, dwi'n ceisio cofio ym mha eil mae pethau fel'na'n cael eu cadw, a dyna pryd dwi'n clywed llais tu ôl i mi.

'Taliesin?'

Mae fy nghalon i'n suddo. Mi fyddai clywed unrhyw un yn fy nghyfarch i'n siom, achos does gen i ddim diddordeb mewn siarad gyda neb. Ond dwi'n adnabod y llais yma – Ditectif Siwan Mathews, fy nghyn-bartner yn yr heddlu. Oes unrhyw ffordd o gwbl y galla i ei hanwybyddu hi?

'Taliesin!' mae'n galw eto, yn mynnu fy sylw. Erbyn hyn mae ei throli o flaen fy un i. Does dim dianc.

'O, helô Siwan,' meddaf, gan geisio swnio'n falch i'w gweld hi. Dwi'n siŵr nad ydw i'n llwyddo, ond does dim awgrym bod Siwan wedi sylwi.

'Heia – o'n i'n meddwl taw ti o'dd e. Fi heb dy weld di ers sbel – sut wyt ti'n cadw? Popeth yn OK?' gofynna gyda gwên fawr ar ei hwyneb, ond rhywbeth arall – consyrn falle? – yn ei llygaid.

'O, ydw, dwi'n iawn, diolch,' atebaf. Beth ddylwn i ddweud nawr? Rhywbeth am fod yn brysur? 'Cadw'n brysur, ti'n gwybod fel mae hi.' Mae'r wên yn siglo ychydig ar ei hwyneb.

Mae yna dawelwch lletchwith cyn i Siwan daro eto.

'Gyda llaw,' meddai, 'wy'di bod yn gwrando ar *Ffeil Drosedd* – pan ma'r merched yn ca'l gwersi nofio – ma fe'n grêt, wy'n joio – os mai joio yw'r gair iawn.'

Dwi ddim yn gwybod beth i'w ddweud mewn ymateb i hyn, a dwi'n awyddus i osgoi ymestyn y sgwrs, felly dwi'n nodio fy mhen yn ddistaw. Yn sydyn, o unman, mae delwedd o Mari yn neidio i'm meddwl i... ei gwallt du cyrliog, trwchus, ei chroen brown cynnes, lliw dail yr hydref... ond dwi'n ei wthio i ffwrdd yn frysiog. Mae Siwan yn dal i siarad.

'... yng nghanol y bennod ar Harold Shipman ar hyn o bryd. O le ti'n ca'l yr holl ffeithie 'na, 'te? Fe yw'r unig ddoctor sy erioed 'di ca'l ei ddedfrydu am lofruddio ei gleifion, ife? Diolch byth, ontefe... Odi hynna'n wir, odi fe?'

'Yr unig ddoctor Prydeinig, ie.' Wrth gwrs ei fod e'n wir. Pam fydden i'n dweud celwydd am rywbeth fel'na? 'Sut mae'r gwaith?' gofynnaf, yn awyddus yn sydyn i newid y pwnc.

'O... o wel, ti'n gwbod fel ma pethe. Digon o ddihirod o gwmpas y lle, a gormod o waith papur.' Mae ei thôn yn meddalu. 'Pam na ddei di mewn rhwbryd? Fydde pawb yn lico dy weld di – fi, Saunders, Emlyn, hyd yn oed Pete. Allen ni ga'l dishgled, dala lan yn iawn?'

'Ie, falle,' atebaf. *No way. No way.*

'OK, wel – falle wela i ti cyn hir, 'te?' gofynna'n obeithiol. 'A chofia, os wyt ti ishe unrhyw beth – unrhyw beth o gwbwl – jyst coda'r ffôn... iawn?'

'Ie, iawn. Wela i ti cyn bo hir.' Dwi'n codi llaw arni, er ei bod hi'n sefyll o 'mlaen i. Wnes i ddim sylwi arni'n edrych ar gynnwys fy nhroli i, a dwi'n falch o hynny. Dw i ddim eisiau iddi wybod faint o alcohol sydd gen i.

Dwi'n penderfynu anghofio am y papur tŷ bach am heddiw, ac yn gwthio'r troli i gyfeiriad y til.

Siwan

Iesgob annwl, oedd lot o *booze* yn y troli 'na! Whech potel o rym a whech potel o win? Waw. Pa mor hir fydd rheina'n para iddo fe, sgwn i?

Oedd e'n dishgwl yn uffernol hefyd. So fe erio'd 'di bod y boi mwya, ond ma fe wedi colli llwyth o bwysau ers i fi ei weld e ddiwetha. Ma angen golchad a thorrad ar ei wallt e, a doedd dim rasal 'di bod yn agos i'r wyneb 'na ers sbel fowr. Pan glywes i ei fod e'n cymryd rhan mewn podlediad troseddau o'n i'n falch – rhwbeth i'w gadw e'n brysur am gwpwl o orie bob wythnos, i'w gael e mas o'r tŷ – ond ma'n amlwg fod pethe'n mynd o ddrwg i wâth er gwaetha hynny.

Wna'i sôn wrth Saunders 'mod i wedi gweld Taliesin heno, ond does dim llawer allith hi wneud i'w helpu e chwaith erbyn hyn.

Dwi'n edrych ar fy rhestr siopa, ac yn dechrau gwthio'r troli i gyfeiriad y papur tŷ bach.

Mari

Mi fydda i'n cael o leiaf hanner dwsin o ebyst ynglŷn â phob pennod o'r podlediad, fel arfer wrth yr un llond llaw o bobol sy'n meddwl eu bod yn dditectifs amatur ac sy'n cwestiynu darganfyddiadau'r ditectifs proffesiynol. Yn aml, mi fydd y negeseuon hyn yn gannoedd, os nad miloedd, o eiriau o hyd, ac mi fydda i'n eu dileu nhw heb ddarllen y cyfan.

Ond mae'r neges yma'n wahanol.

Dwy linell yn unig sydd yn yr ebost.

I ti.

E. x

Dwi wedi gwneud digon o ddêtio ar-lein ac mae cusan ar ddiwedd neges wrth ddieithryn yn rhoi teimlad ych-a-fi i fi'n syth. Mi fyddwn i wedi ei ddileu ac anghofio amdano, oni bai am y ddolen ar waelod y neges.

Mae clicio ar y ddolen yn mynd â fi i wefan newyddion y BBC, at erthygl yn sôn am lofruddiaeth yng Nghaernarfon. Cafodd yr erthygl ei hysgrifennu ddoe, ddydd Sul, ac mi ddigwyddodd y llofruddiaeth ddeuddydd cyn hynny. Doeddwn i ddim wedi clywed y stori, ac wrth ddarllen yr erthygl fedra i ddychmygu pam. Roedd y ferch gafodd ei lladd, Rosa Krajicek, yn dod o wlad Pwyl yn wreiddiol a chanddi hanes hir o gamddefnyddio cyffuriau. Roedd yr erthygl hefyd yn awgrymu ei bod hi mewn perthynas dreisiol gyda dyn lleol, a bod hwnnw eisoes wedi ei arestio ar amheuaeth o'i lladd. Yn fy mhrofiad i dydy golygyddion newyddion ddim yn meddwl bod y cyhoedd eisiau clywed am gennod o dramor efo problemau cyffuriau sy'n cael eu trywanu'n farw.

Ar ddiwedd yr erthygl mae yna fideo – cyfweliad efo dynes o'r enw Sharon, ffrind Rosa, a'r un gafodd hyd i'w chorff. Dwi'n clicio ac yn chwarae'r fideo. Er bod ei llygaid yn llawn dagrau a'i llais yn gryg, mae yna rywbeth digon del am Sharon, ond mae effaith cyffuriau a bywyd caled yn golygu ei bod hi'n anodd dyfalu ei hoedran hi – mi allai fod yn hanner cant, ond dwi'n tybio ei bod hi ddeng mlynedd yn iau na hynny mewn gwirionedd.

'... a dyna lle oedd hi, yn y bàth, yn edrych fel tasa hi'n cysgu,' mae Sharon yn dweud, yn ei hacen Cofi gref. 'Ond doedd hi ddim yn cysgu – na, mi oedd o wedi ei lladd hi, wedi ei chipio hi oddi arna i. A cyn iddo fo ddianc, a gadal Rosa druan, mi oedd o 'di cynnau canhwyllau o amgylch y bàth, a rhoi cerddoriaeth 'mlaen. Pam? Be sy'n bod ar rywun i wneud peth fel'na?'

Mae ei stori'n canu cloch, a dwi'n gwylio'r fideo hyd at y diwedd cyn ailfyw'r cyfan. Mae yna rywbeth ynglŷn â'r ffordd y gadawyd Rosa – fel petai'r llofrudd, ar ôl ei lladd hi, wedi teimlo'r angen i wneud y corff mor gyffforddus â phosib.

Dwi'n agor fy ngliniadur ac yn chwilio'n ôl trwy hen benodau'r podlediad. Fydda i'n creu ffeil nodiadau ar gyfer pob pennod ac yn eu storio efo'r recordiad, rhag ofn 'mod i angen atgoffa fy hun o fanylion unrhyw achos rywbryd eto. Buan iawn dwi'n dod o hyd i'r un dwi'n chwilio amdani. Dwi'n ei hagor.

Achos Josep Krueller oedd un o'r podlediadau cyntaf gyfrannodd Taliesin ato. Yn 1992 roedd Krueller yn byw gyda'i fam yn ninas Alba Iulia yng nghanolbarth Rwmania, ac yn gyfrifydd mewn ffatri leol. Roedd Josep yn hoyw, ond yn cadw hynny'n gyfrinach rhag ei fam oedd yn Gristion traddodiadol brwd.

Am gyfnod roedd Krueller mewn perthynas gyda dyn o'r enw Radi Kosalev, ond yn fuan chwerwodd pethau rhwng y ddau, gan arwain Kosalev i fygwth datgelu ei gyfrinach i fam Krueller. Cafodd Krueller ryw fath o *breakdown*, ac mi laddodd Kosalev cyn mynd ymlaen i ladd tri dyn hoyw arall dros gyfnod o fis. Pan sylweddolodd Josep fod rhwyd yr heddlu yn cau amdano, fe adawodd y gwaith yn gynnar un prynhawn Mercher, dychwelyd i'w gartre a thrywanu ei fam yn farw. Wedyn fe ffoniodd yr heddlu i gyfaddef y cwbwl, ac aros yn amyneddgar yn ei stafell fyw i gael ei arestio. Pan gyrhaeddodd yr heddlu daethpwyd o hyd i fam Josep yn gorwedd yn gelain mewn bàth cynnes, gyda chanhwyllau wedi'u cynnau a'i hoff gerddoriaeth yn chwarae yn y cefndir.

Dwi'n darllen trwy'r nodiadau am fwy o fanylion, ond does dim pellach sy'n cyfateb gydag achos Rosa Krajicek yng Nghaernarfon. Dwi'n codi i dywallt gwydraid o win, ac yn eistedd am funud, yn yfed ac yn meddwl.

Ar ôl ychydig, dwi'n anfon y neges ebost ymlaen at Taliesin, cyn codi'r ffôn a'i alw. Mae'n canu am ychydig, cyn mynd i'w beiriant ateb. Anaml iawn fydd Taliesin yn ateb ei ffôn y dyddiau hyn.

'Hi Tal, fi – Mari – sy 'ma. Jyst isho gadal i chdi wbod taw testun y bennod nesa fydd Lo Scultore, y gyrrwr lorris o'r Eidal. Wna'i ddisgwyl chdi'r un amsar ag arfer – gad i fi wbod os oes angen newid hynny. A gyda llaw, dwi wedi anfon ebost ata chdi – dilyna'r ddolen a darllena'r stori. Oes yna unrhyw beth yn canu cloch? Beth bynnag – ffonia fi pan fedri di. Hwyl am y tro.'

Dwi'n gorffen yr alwad, diffodd y gliniadur ac yn cario'r gwin at y soffa, i chwilio am raglen gomedi i'w gwylio cyn mynd i'r gwely.

Taliesin

Mae gweld y cwpwrdd yn y gegin wedi ei ailgyflenwi gyda rym a gwin yn fy ymlacio i. Dwi'n taflu'r prydau parod un ar ben y llall i'r oergell, ac yn gwneud penderfyniad sydyn i gael bàth. Fydda i'n aml yn teimlo'n frwnt ar ôl bod i'r archfarchnad, yr holl bobol yna yn cerdded o gwmpas, yn cyffwrdd ym mhopeth ac yn anadlu dros y lle. Mae cloc y gegin yn dangos ei bod hi'n hanner awr wedi deg erbyn hyn, ond fydda i ddim fel arfer yn mynd i'r gwely tan yr oriau mân beth bynnag, felly dwi'n mynd i'r stafell molchi ac yn dechrau llenwi'r bàth.

Unwaith 'mod i'n siŵr fod y dŵr yn ddigon cynnes, dwi'n croesi'r cyntedd i'r ystafell wely i ddiosg fy nillad. Wrth droi'r golau 'mlaen gwelaf fy ffôn symudol ar y gwely – fydda i ddim yn ei gario fe o gwmpas rhyw lawer y dyddiau hyn, gan nad oes llawer o bobol dwi eisiau clywed wrthyn nhw. Mae neges ar y sgrin yn dangos bod Mari wedi ffonio a bod yna neges yn aros i mi, felly dwi'n ei chwarae wrth i mi ddadwisgo.

'… Jyst isho gada'l i chdi wbod mai testun y bennod nesa fydd Lo Scultore, y gyrrwr lorris o'r Eidal.'

Lo Scultore. Dwi'n rhewi yn yr unfan, fy nhrowsus am fy mhengliniau. Dwi heb feddwl am achos Lo Scultore ers… wel, ers i mi ei drafod gydag MJ. Dwi'n cofio ni'n gweld tebygrwydd rhwng ei achos ef a llofruddiaethau Geraint Ellis. Dwi'n cofio'r tro diwetha i mi weld MJ, yn gwaedu ar y llawr…

Dwi'n sylweddoli bod llais yn dod o'r ffôn yn gofyn i mi os ydw i eisiau ailchwarae'r neges neu ei dileu hi, a chan 'mod i heb wrando o gwbwl ar yr ail hanner dwi'n ei chwarae o'r dechrau.

'... A gyda llaw, dwi wedi anfon ebost i chdi – dilyn y ddolen a darllen y stori. Oes unrhyw beth ynglŷn â hi yn canu cloch?'

Dwi'n agor fy ebyst ar y ffôn ac yn hanner darllen y stori anfonodd Mari, ond dwi methu canolbwyntio – mae fy meddwl i'n cael ei dynnu'n ôl at Lo Scultore ac MJ dro ar ôl tro. Yn y diwedd dwi'n rhoi'r gorau iddi, ac yn gollwng y ffôn 'nôl ar y gwely heb ateb yr ebost. Gan gamu allan o fy nhrowsus dwi'n croesi'r cyntedd i'r ystafell ymolchi ac yn diffodd y tapiau, y bàth yn ddim mwy na chwarter llawn. Cerddaf i'r gegin, tynnu un o'r poteli rym newydd o'r cwpwrdd a mynd i eistedd ar y soffa yn yr ystafell fyw, yn fy nillad isa. Mae'n mynd i fod yn noson wael arall.

MJ

'...a ti'n gweld, Mari, er bod tipyn o ddadlau ynglŷn â pham wnaeth Harold Shipman ladd, dwi'n amau fod yr ateb yn ei blentyndod, yn benodol gyda marwolaeth ei fam o gancr yr ysgyfaint pan oedd Shipman yn ei arddegau. Roedd yn arbennig o agos at ei fam, ac mae'n rhaid bod ei gweld hi'n marw o flaen ei lygaid, ei phoen yn cael ei reoli gan bigiadau morffin, wedi cael cryn effaith arno.

'Mae Sigmund Freud yn sôn am y syniad o *"repetition compulsion"*, lle mae unigolyn yn ail-greu sefyllfaoedd trawmatig fel ffordd o ddelio â nhw, ac mae'n drawiadol pa mor debyg yw amgylchiadau y rheini fu farw trwy law Shipman gyda marwolaeth ei fam. Os wnewn ni ystyried hefyd fod awgrymiadau cryf fod gan Shipman bersonoliaeth *"addictive"* – roedd ef ei hun yn gaeth i *pethidine* am gyfnod – yna mae'n hawdd gweld sut y byddai wedi mynd yn gaeth i'r broses o ail-greu marwolaeth ei fam, a'r pŵer oedd ganddo dros fywyd rhywun, fel nad oedd yn gallu stopio...'

Dwi'n neidio wrth deimlo braich ar fy ysgwydd, ac yn rhwygo'r clustffonau mas o 'nghlustie.

'Iesgob annwl...' ebychaf.

'Ben bach – fi 'di galw ti dair gwaith o leia. Os wyt ti ddim yn gallu 'nghlywed i ddylet ti ddim fod â'r sŵn lan mor uchel, 'nei di ddrwg i dy glustie. Ar beth wyt ti'n gwrando ta beth?'

'Sori, sori,' dwi'n dweud wrth adael i guriad fy nghalon ostwng eto. Dyw'n nerfau i ddim cystel ag yr oedden nhw, ond ddwedodd y cwnselydd falle fod hynny'n newid parhaol. 'Gwrando ar bodlediad o'n i, 'na i gyd.'

'Ti?', meddai Lowri gan edrych arna i'n syn. 'O'n i'm yn sylweddoli dy fod ti'n gwbod beth o'dd podlediad.'

'Ma 'na lot o bethe ti'm yn gwbod amdana i, cariad,' gwenaf a rhoi fy mraich am ei chanol.

'Gweda di,' ateba Lowri, gan estyn dwy dabled a gwydraid o ddŵr. 'Dyma ti – ac mae'n bryd i ti neud dy ymarferion 'fyd.' Mae'n oedi, ac yn edrych yn chwilfrydig. 'Beth yw'r podlediad 'ma, 'te?'

'*Ffeil Drosedd* yw ei enw fe – un o'r cyfresi trosedd 'ma.'

'Duw, Ben, fysen i'n meddwl bo ti, o bawb, wedi ca'l digon o drosedd am un oes!' mae Lowri'n ateb gyda gwên.

'Creda di fi, fe ydw i. Ond o'dd rhywun o'n i'n arfer gweithio 'da fe'n cyfrannu, dyna i gyd.'

'O, reit. Unrhyw un fi'n nabod?' Mae Lowri yn estyn y mat ymarfer corff i mi.

'Na, neb ti'n nabod, bach,' atebaf, gan roi gwên fach iddi.

Dwi ddim yn dweud wrth Lowri bod clywed Taliesin yn trafod achos Harold Shipman wedi gwneud i mi deimlo'n eitha anghyffyrddus, ac nid dim ond am fod ei dafod e'n llithro dros ambell air. Dwi heb gael y cyfle i ddiolch iddo am achub fy mywyd i, am adael i fi gychwyn bywyd o'r newydd eto, a gallu cwrdd â Lowri. Dwi heb drio cysylltu gyda fe ers tipyn nawr, mae'n amlwg nad yw e eisiau siarad â fi. Ond er gwaetha hynny, mae meddwl am Taliesin, ar ôl popeth sydd wedi digwydd iddo fe, gyda dim i lenwi ei ddyddiau ond troi hanesion hen lofruddwyr drosodd a throsodd yn ei feddwl yn fy ngwneud i'n drist – ac yn ofidus braidd.

Taliesin

Un peth rhyfedd am fyw ar fy mhen fy hun, heb angen mynd i unrhyw le na gweld unrhyw un, yw fod y dyddiau'n gwibio heibio, ond ar yr un pryd mae amser yn symud yn araf. Pa noson welais i Siwan yn Morrisons? Nos Lun falle? A nawr dyma hi'n brynhawn dydd Iau, a does gen i ddim syniad lle mae'r dyddiau diwethaf wedi mynd.

Yr unig reswm dwi'n siŵr ei bod hi'n ddydd Iau yw bod Mari newydd decstio yn fy atgoffa i ein bod ni'n recordio *Ffeil Drosedd* heno. Pennod rhif beth fydd hon i mi sgwn i – deuddeg? Doeddwn i ddim wedi bwriadu gwneud *un* hyd yn oed, ond mae'n anodd dweud 'na' wrth berson fel Mari. Mae yna rywbeth amdani sy'n golygu ei bod hi'n hawdd bod yn ei chwmni – a dwi ddim yn teimlo fel hynny am neb arall bron. Dwi'n synnu fy hun braidd wrth sylweddoli cymaint dwi'n edrych 'mlaen i weld Mari bob dydd Iau. Er ein bod ni'n trafod llofruddiaethau erchyll, mae'r sgyrsiau yma wedi tyfu i fod yn uchafbwynt yr wythnos i mi, heb os. Dwi'n darllen trwy ei neges unwaith eto – 'Wela i di heno, tua 6?' – cyn teipio 'OK'. Dwi'n oedi cyn ei anfon, yna'n newid y neges i 'OK, grêt'. Dwi'n oedi eto, mynd 'nôl i 'OK' syml, yn gwasgu'r botwm 'Anfon' ac yn rhoi'r ffôn lawr ar fraich y soffa.

Gan benderfynu 'mod i angen bàth ac eillio cyn heno, codaf ar fy nhraed a cherdded i'r ystafell ymolchi. Mae'r bàth yn chwarter llawn dŵr, a dwi'n syllu arno mewn penbleth, cyn cofio iddo fod yn eistedd yna ers nos Lun. Dwi'n gwthio fy llaw i'r dŵr oer ac yn tynnu'r plwg, yna'n gwylio wrth i'r dŵr gylchdroi i lawr y twll, cyn i'r diferyn olaf un ddiflannu gyda glyg aflafar. Dwi'n dechrau blino ar y bylchau yma yn fy nghof sy'n digwydd mwy a mwy aml. Yn sydyn, gwelaf fy hun fel mae pawb arall yn fy ngweld – meddwyn trist, sy'n byw mewn fflat anniben, ddim yn ymolchi ac yn ymlwybro o un diwrnod i'r llall, yn dilyn y botel. Tybed ai dyna sut mae Mari yn fy ngweld i? Allen i ddim dioddef hynny, ac yn y fan a'r lle dwi'n penderfynu 'mod i ddim yn mynd i yfed yn y sesiwn recordio heno.

Wrth i mi ail-lenwi'r bàth dwi'n cerdded o amgylch y fflat yn agor y llenni a'r ffenestri, cyn estyn i nôl bag sbwriel newydd o'r cwpwrdd bach o dan sinc y gegin. Wrth i mi gerdded drwy'r fflat yn casglu'r poteli gweigion, y pacedi creision a'r manion eraill sydd wedi eu gadael yma a thraw, dwi'n dod ar draws darn o bapur ar y bwrdd bwyd. Mae'r ysgrifen fel traed brain, ond nodiadau am achos Lo Scultore y'n nhw – enwau, dyddiadau, ambell fanylyn pwysig. Does gen i ddim cof eu hysgrifennu o gwbwl. Mae yna gylch tywyll ar waelod y dudalen, y math o farc mae gwaelod gwydr yn ei adael. Dwi'n plygu'r papur ac yn ei roi ym mhoced fy nghot, yn barod i fynd ag e gyda fi heno.

Erbyn hyn, mae'r bàth yn hanner llawn a'r drych uwchben y sinc yn stêm i gyd. Mae atgof yn corddi rhywle yn nyfnderoedd fy meddwl wrth i mi estyn i ddiffodd y tapiau. Rhywbeth am gorff mewn bàth… corff dynes… Dwi'n nôl y ffôn symudol o fraich y soffa ac yn dod o hyd i'r ebost anfonodd Mari nos Lun.

I ti.

E x

Mae'r gusan ar ddiwedd y neges yn gwneud i fy stumog

dynhau'n ddigymell, a dwi'n clicio ar y ddolen sy'n mynd â fi i'r erthygl am lofruddiaeth Rosa Krajicek, y ddynes anffodus o wlad Pwyl. Dwi'n darllen yr erthygl ac yn gwylio'r fideo ar y gwaelod, cyn darllen y stori eto'n fanwl. Yna, dwi'n syllu ar y gusan ar ddiwedd yr ebost am dipyn, cyn diffodd y ffôn.

Deng munud yn ddiweddarach, ar ôl eillio'n ofalus gyda rasal newydd, dwi'n eistedd yn nŵr cynnes y bàth gydag un cwestiwn yn troi yn fy meddwl – pwy yw 'E'?

Mari

Mae'r *buzzer* yn swnio wrth i mi orffen cael trefn ar y gliniadur a'r meicroffonau. Dwi ddim ond newydd gyrraedd adra ers rhyw bum munud – mae'r wythnos hon wedi bod yn wallgo. Mae achos Athro Drew Szymanski, y darlithydd o Brifysgol Aberystwyth sydd wedi ei gyhuddo o gyffurio a threisio wyth o fyfyrwyr ifanc wedi cyrraedd Llys y Goron Abertawe a dwi wedi bod yno yn adrodd ar yr achos i'r papur newydd. Rhwng gyrru yn ôl ac ymlaen i Abertawe a gweithio rhywfaint yn y swyddfa dwi ddim wedi cael cyfle i dreulio rhyw lawer o amser adra.

Dwi'n codi o'r ddesg ac yn cerdded i'r cyntedd i godi'r ffôn ar y wal.

'Helô?'

'Mari – Taliesin sy'ma.'

'Grêt, grêt – wna'i dy adael di mewn 'wan. Ty'd syth i fyny.'

Dwi'n dal fy mys ar y botwm sy'n agor y drws lawr grisiau am sawl eiliad, cyn cerdded at ddrws y fflat a'i ddatgloi, gan ei adael yn gilagored. Rhyw hanner munud yn ddiweddarach mae Taliesin yn cyrraedd y fflat, a dwi'n eistedd ar bwys y gliniadur eto.

'Hi Tal,' dywedaf, heb edrych fyny. 'Ti'n OK?'

'Ydw, iawn diolch,' mae'n ateb yn ei ffordd swta arferol.

'Sori, fyddwn ni'n barod i fynd mewn dau funud, dwi jyst isho anfon yr ebost yma gynta,' meddaf, gan edrych fyny.

Mae'n amlwg fod Taliesin wedi gwneud ymdrech heddiw – wedi eillio, ei wallt wedi ei gribo'n ofalus. Mae ôl smwddio ar ei grys hyd yn oed. 'Alla i gynnig diod i chdi?' gofynnaf.

'Ymmm – na, dim am y tro, diolch. Mae hwn 'da fi,' ychwanega gan ddangos y botel Ribena yn ei law. Nid dyma'r ateb ro'n i'n ei ddisgwyl – wnes i'n siŵr fod gen i botel lawn o rym yn barod. Mae nodyn o ansicrwydd yn ei lais, ond dwi ddim yn gwthio'r peth ymhellach. Ar ôl yr wythnos dwi wedi ei chael, fe fyddwn i wrth fy modd gyda G&T mawr efo digon o rew, ond dwi'n penderfynu os nad yw Taliesin am yfed 'mod i ddim am wneud hynny o'i flaen o chwaith.

Rydyn ni'n eistedd mewn tawelwch am funud neu ddau, yr unig sŵn yn y stafell yw fy mysedd yn clician ar y bysellfwrdd. O'r diwedd dwi'n gorffen y neges ac yn ei hanfon, cyn troi i wynebu Taliesin.

'Sori am hynna, Tal – dwi 'di bod â 'nhrwyn ar y maen drwy'r wsnos efo achos Szymanski. Ti'n gwbod be ma'n nhw'n ddeud am blismyn a newyddiadurwyr? Byth *off-duty*! Ond beth bynnag, sut wsnos gest ti? OK?'

Am unwaith mae o'n gwenu wrth ateb. Mae'r wên yn edrych yn annaturiol ar ei wyneb o.

'Iawn, iawn.' Mae Taliesin yn croesi ac yn datgroesi ei goesau, fel petai o'n methu aros yn llonydd. 'Gyda llaw,' meddai ar ôl tipyn, 'wnes i edrych ar yr ebost 'na...'

Syllaf ar Taliesin am dipyn, yn ceisio cofio pa ebost mae'n gyfeirio ato. Mae'n amlwg yn sylweddoli hyn, ac yn cario 'mlaen i siarad ar ôl saib lletchwith.

'Yr un gyda'r ddolen? Am lofruddiaeth y ferch yng Nghaernarfon?'

Dwi'n cofio'n sydyn – yr un efo'r neges ryfedd.

'O ia, wrth gwrs – a be oeddat ti'n feddwl? Oedd y stori'n canu cloch?' gofynnaf yn eiddgar. Mae Taliesin yn oedi cyn ateb.

'Wel... dwi'n cymryd taw cyfeirio wyt ti at achos Josep Krueller? Yn benodol, llofruddiaeth ei fam?'

Dwi'n teimlo rhyw falchder mawr fod Taliesin wedi gwneud yr un cysylltiad â fi.

'Ie, dyna ni – *weird*, 'de? Ma 'na debygrwydd rhwng y ddau achos, ti'm yn meddwl?' gofynnaf.

Mae o'n oedi eto.

'Wel...' mae'n ateb, gan roi pwyslais hir ar y llythyren ganol, 'oes, yn arwynebol falle – y bàth, a'r canhwyllau... Ond o dan yr wyneb mae'r ddwy sefyllfa'n wahanol iawn. Lladd ei fam am ei fod ofn ei hymateb hi wnaeth Krueller – bron ei fod yn ei charu hi gormod i'w siomi hi. Mae'r heddlu wedi arestio cariad Rosa am ei llofruddiaeth, ac o beth welais i dicter, nid serch, yw'r symbyliad tu ôl i'r achos yma – a thipyn o euogrwydd ar ôl y drosedd yn arwain at ddymuniad yn y llofrudd i'w gwneud hi'n gyfforddus yn y bàth.'

'Hm, ia,' meddaf, gan droi'n ôl at y gliniadur, yn awyddus i symud 'mlaen. 'Siŵr dy fod ti'n iawn.'

Mae Taliesin yn dawel am eiliad wrth i mi baratoi'r feddalwedd recordio.

'Pwy yw "E"?' gofynna.

'Pwy yw e? Be ti'n feddwl?' atebaf, yn hanner canolbwyntio.

'Na, "E" – yr un anfonodd yr ebost i ti.'

'O, reit – dim syniad, 'sti. Un o'r gwrandawyr mwy na thebyg, 'di gweld yr un tebygrwydd rhwng y ddau achos a wnesh i. Rhyngdda ti a fi, Tal, ma rhai o'n gwrandawyr ni'n bobol reit ryfedd.' Edrychaf i fyny o'r gliniadur a gwenu, yn awyddus i symud ymlaen a dechrau recordio'r podlediad. 'Reit ta, barod i fynd efo Lo Scultore?'

Taliesin

Mae'r awr a hanner nesaf yn gwibio heibio. Ro'n i wedi rhagweld y byddai hon yn rhaglen anodd, gan 'mod i'n dal i gysylltu achos Emilio Abate, y gyrrwr lorri o Napoli, gydag achos Geraint Ellis yn fy mhen. Er gwaetha hynny fe wnes i wthio 'mlaen, gan gychwyn drwy gynnig ychydig o gefndir yr achos.

Fe ddioddefodd Abate blentyndod hunllefus, ei fam a nifer o'i chariadon yn ei gam-drin yn gyson. Ond, er hynny, erbyn ei ugeiniau canol roedd yn ymddangos bod Abate, rhywsut, wedi llwyddo i greu bywyd sefydlog, hapus iddo'i hun – roedd ganddo swydd reolaidd fel gyrrwr lorris, ac er bod yr oriau'n hir a'i fod i ffwrdd o gartre am gyfnodau, roedd yn golygu bod ganddo'r arian i ofalu am yr hyn oedd yn bwysig iddo – ei wraig a'i ddau blentyn ifanc.

Ond yna, un diwrnod, fe chwalwyd bywyd Abate yn deilchion pan gyrhaeddodd adre i ddarganfod bod ei wraig wedi diflannu gydag un o'i ffrindiau gorau, a bod honno wedi mynd â'u plant gyda hi. Barn y seicolegwyr oedd i'r sioc yma achosi i drawma ei blentyndod ffrwydro i'r wyneb, a bod y gyrrwr lorri wedi ymateb yn yr un ffordd ag y cafodd ei fagu – gyda dicter a thrais. Y papurau newydd roddodd y ffugenw 'Lo Scultore' (Y Cerflunydd) i Abate am iddo gerfio geiriau fel 'putain' a 'hwren' ar gyrff y merched yr oedd wedi eu tagu – y puteiniaid gafodd eu hela am eu bod yn edrych yn debyg i'r wraig oedd wedi ei adael.

Pan o'n i ac MJ'n gweithio ar achos Geraint Ellis, fe wnaethon ni ystyried y tebygrwydd rhwng y ddau achos hyn, am fod Elis hefyd yn cerfio cyrff y merched roedd e'n eu lladd. Er i ni benderfynu taw tebygrwydd arwynebol yn unig oedd hwn, fel y tebygrwydd rhwng achosion Josep Krueller a Rosa Krajicek, fe wnes i'n siŵr 'mod i ddim yn crybwyll yr hen gysylltiad yn ystod y sgwrs gyda Mari – y peth diwethaf o'n i eisiau oedd honno'n dechrau holi cwestiynau ac yn codi'r hen grachen yna.

'... ac yn y diwadd, Taliesin, ar ôl chwe mis a chwe chorff marw, fe lwyddodd yr heddlu i ddal Abate – Lo Scultore,' meddai Mari, yn siarad i'r meicroffon mewn llais clir, 'A phan ddigwyddodd hynny, sut wnaeth o ymateb?'

Dwi'n dechrau ymestyn fy llaw i gymryd diod o rym cyn i mi gofio nad oes gen i un. Dwi'n ymfalchïo'n dawel bach 'mod i dal yn meddwl ac yn siarad yn glir a ninnau yn dod at ddiwedd y rhaglen.

'Wel, fe wnaeth Abate ymateb yn yr un ffordd ag y mae llawer o lofruddwyr sydd wedi cael cefndir treisiol yn ei wneud,' atebaf. 'Ei eiriau cynta wrth yr heddwas wnaeth ei arestio oedd, *"Grazie a Dio sono stato interotto"* – "Diolch i Dduw eich bod chi wedi fy stopio i". Ti'n gweld, Mari, mae rhai llofruddwyr yn mynd ati i ladd o reidrwydd – am arian falle, neu am gariad. Mae eraill yn lladd am eu bod nhw eisiau lladd – mor syml â hynny. Ac mae rhai eraill eto yn lladd oherwydd yr unig fyd maen nhw'n gyfarwydd ag e yw byd dinistriol, treisiol, a'r unig beth allan nhw ei wneud yw tynnu pobol i'r byd hwnnw gyda nhw. Un o'r math ola yna oedd Emilio Abate.'

A beth amdanat ti, Taliesin? Pa fath o lofrudd wyt ti? Mae'r cwestiynau'n fflachio i fy meddwl cyn i mi sylweddoli eu bod nhw yno, ond dwi'n llwyddo i'w hel nhw o'r neilltu yn syth.

Mae Mari wedi gadael saib bach ar ôl i mi orffen siarad, ac wrth i mi edrych arni mae'n codi bawd arna i.

'Taliesin MacLeavy, diolch yn fawr am ymuno â ni unwaith eto,' meddai. Dwi wedi dysgu nad yw Mari'n disgwyl i mi ymateb i'r diolch yma – mi wnes i wneud hynny y tro cyntaf, a siarad drosti wrth iddi recordio clo'r rhaglen. Bu raid iddi ailrecordio'r rhan olaf, tra 'mod i'n gorffen fy niod ar frys, yn ysu i adael. 'A diolch i chi'r gwrandawyr am wrando ar hanes gwaedlyd Lo Scultore. Fydda i, Mari Powys, 'nôl wythnos nesa efo Taliesin yn trafod achos arall, felly gnewch yn siŵr eich bod chi wedi tanysgrifio i'r podlediad. Cofiwch gysylltu efo ni os oes gynnoch chi unrhyw beth i'w rannu, a hwyl fawr am y tro.'

Gyda hynny, mae Mari'n gwasgu'r botwm ar y gliniadur i orffen y recordiad ac yn tynnu'r clustffonau mawr. Rhaid bod darn o'i gwallt wedi cael ei ddal yn rhywle, gan ei bod yn gwingo am eiliad wrth ddiosg y clustffonau.

'Ffantastic, rhaglen dda arall, Tal,' meddai wedi iddi ei rhyddhau ei hunan. 'Fydd o i gyd yn ffitio at ei gilydd yn grêt yn yr *edit*. Ond am stori drist, ynde – cael ei fagu mewn anobaith, yna dechrau meddwl ei fod wedi dianc, dim ond i gael ei lusgo 'nôl, yn ddyfnach nag erioed.'

Erbyn hyn mi fydda i ar fy nhraed fel arfer, ond dwi'n ceisio meddwl am ateb i ymestyn y sgwrs ychydig, tra bod Mari'n astudio'r gliniadur. Dwi ar fin dweud rhywbeth pan mae'n ochneidio, ac yn troi'r cyfrifiadur nes fod y sgrin yn hanner fy wynebu i.

'*God*, sbia,' meddai. 'Negas arall wrth y boi 'na – yr un anfonodd hanas y llofruddiaeth yng Nghaernarfon.'

Gyda rhywbeth yn corddi yn fy stumog dwi'n pwyso'n nes ac mae Mari'n troi'r gliniadur er mwyn i mi allu darllen y neges fy hun.

Nest ti weld y tebygrwydd i Krueller?

E x

'Well i mi ateb,' mae Mari'n cario 'mlaen. 'Ma rhai o'r gwrandawyr 'ma'n mynd yn reit flin os ydan nhw'n teimlo 'mod i'n eu hanwybyddu nhw.'

Dwi'n gwylio'n fud wrth i eiriau Mari ymddangos ar y sgrin ac wrth i bob gair newydd gael ei deipio dwi'n teimlo'n fwy anniddig, yn fwy... eiddigeddus?

Hi E. Diolch am dy ebost, a do, mi wnaeth llofruddiaeth Rosa Krajicek ganu cloch yn bendant. Diolch eto am gysylltu ac am wrando.

'Dyna ni, sdim isho deud gormod neu fydda i ond yn ei annog o i ailgysylltu,' meddai Mari wrth glicio ar y botwm 'Send', ac mae'r neges yn diflannu o'r sgrin.

Erbyn hyn dwi ar fy nhraed, ac yn gwisgo fy nghot.

'Ti'n mynd?' gofynna.

'Ydw, well i fi,' atebaf, gan ddechrau meddwl am esgus cyn cofio 'mod i fel arfer yn gadael yn syth wedi'r recordiad.

'OK, wel, diolch eto, Tal, a wna' i adael i ti wbod be fyddwn ni'n drafod wsos nesa. Cymer ofal, OK?'

'Ie, hwyl, Mari.'

Dwi ddim yn siŵr a yw drws y fflat yn cau y tu ôl i mi cyn i mi orffen y frawddeg. Dwi wedi llwyddo i beidio ag yfed yn ystod y sesiwn recordio, ond mae cyfuniad o ddelio â'r atgofion sy'n gysylltiedig ag achos Emilio Abate, a gwylio Mari yn ymateb i'r E yma, yn meddwl fod y botel rym yn galw eto, a dwi ddim yn mynd i'w hanwybyddu hi y tro hwn.

E

Mae golau glas gwawr bore Gwener yn gwthio'i ffordd heibio ymylon y llenni trwchus, ond dwi ar ddi-hun ers tipyn. Dydy hyn ddim yn anarferol – fel arfer fydda i wedi brwsio fy nannedd ac yn gwisgo fy nhreinyrs erbyn hyn, yn barod i fynd allan i redeg am ryw dri chwarter awr. Mae'n fwy na jyst cadw'n heini – mae'n ddefod sydd bron yn sanctaidd i mi, ac os na fydda i'n mynd i redeg peth cynta'n y bore fydd gweddill y diwrnod yn cael ei daro oddi ar ei echel.

Ond heddiw dwi wedi bod yn gorwedd yma am ddeng munud a mwy rhwng dau olau gwan y wawr, yn syllu ar yr ebost ar fy ffôn symudol. Dwi'n ei ddarllen eto, yn mwytho pob gair yn dyner i'w gwerthfawrogi'n llawn.

'...mi wnaeth llofruddiaeth Rosa Krajicek ganu cloch...'

Ar yr wyneb mae hi'n neges eitha syml, ond dwi'n deall yn union beth mae'r geiriau'n feddwl go iawn. Rydyn ni'n deall ein gilydd – yn well na neb arall.

Mae Alaw'n rowlio ar ei hochr nes ei bod yn fy wynebu i, ac yn agor un llygad.

'Ti'm yn mynd mas i redeg?' mae'n mwmian gan estyn braich.

Alla i ddim diodde hi'n fy nghyffwrdd i heddiw. Mae croen ei braich yn welw ac yn llac, fel corff sydd newydd ei dynnu o afon.

'Ydw, mynd nawr,' atebaf yn frysiog, gan ddringo allan o'r gwely a cherdded i'r stafell molchi.

Siwan

Allen i fod yn eistedd yn y sinema gyda Iolo a'r merched nawr, ein bolie ni'n llawn McDonald's, yn edrych 'mlaen i wylio'r ffilm Disney ddiweddara. Ffordd berffaith i dreulio pnawn Sadwrn.

Ond yn lle 'nny, ma Iolo a'r merched yn y sinema tra 'mod i yma, ar gyrion coedwig Cwm Rheidol yn gwisgo'r welintons fydda i'n eu cadw yn y car ac yn gwrando ar yr iwnifform ifanc yn disgrifio'r olygfa sy'n fy aros.

'… ac mae'r corff tua chanllath lan i'r dde, yn eistedd yn erbyn boncyff coeden ac yn…'

'Ditectif Mathews!'

Dwi'n troi i weld pwy sy'n fy ngalw i ac yn gweld Jimi George, prif swyddog y tîm fforensig, yn cerdded heibio yn ei siwt bapur wen. Ma fe'n cario bocs metel, sy'n cynnwys ei offer, yn un llaw, ac yn codi'r llall i'm cyfeiriad i.

'Iawn, Jimi?' atebaf. Ma fe'n codi ei sgwyddau.

'Alla i feddwl am ffyrdd gwell o dreulio pnawn Sadwrn, Siwan. Ti'n dod i weld be sy gyda ni, 'te?'

Dwi'n diolch i'r iwnifform ac yn brasgamu i ddal lan gyda Jimi.

'Be ti 'di glywed?' gofynnaf.

'Dim lot – a dim mwy na ti, sbo,' ateba. 'Corff hen ddyn, cerddwr ci wedi dod o hyd iddo fe amser cinio. Cyflwr gwael arno yn ôl y sôn. A…, dyna nhw fyna!'

Ma fe'n pwyntio at y tri iwnifform sy'n sefyll ymysg y coed, tu ôl i ruban heddlu glas a gwyn wedi ei osod i greu rhyw fath o berimedr. Dwi'n codi'r rhuban i Jimi fynd oddi tano gyda'i offer, ac yn ei glywed e'n tynnu gwynt trwy ei ddannedd wrth gael yr olwg gynta ar y corff. Gan anadlu'n ddwfn i baratoi'n hun, dwi'n crymu fy nghefn o dan y rhuban, ac yn mynd draw i sefyll wrth ochr Jimi.

Ma dyn yn eistedd ar y llawr, yn pwyso yn erbyn boncyff coeden, fel ddwedodd yr iwnifform. Fydden i'n dyfalu ei fod yn ei saithdegau, o leia, a chanddo lond pen o wallt gwyn a chochni ar ei fochau a'i drwyn yn amlwg hyd yn oed ac yntau'n farw. Dyw e ddim yn gwisgo crys, ac ma croen ei frest e'n welw – y rhannau yna o'r croen sydd heb gael eu niweidio, hynny yw. Ma cyfres o gylchoedd coch wedi'u hamlinellu mewn du i'w gweld, sy'n edrych fel y marciau y byddai sigarét wedi ei wthio yn erbyn y croen yn eu gwneud. I ddechre, ma fe'n anodd gweld o safle'r corff, ond wrth i mi graffu ma fe'n edrych fel petai patrwm pendant i siâp y tyllau ar y frest.

Ar wahân i'r creithiau ma sawl set o farciau hir, cul, wedi tynnu gwaed mewn ambell le, ac wedi denu sylw rhai o bryfed bach y goedwig yn barod. Ma patrwm y marciau yma'n gwneud i mi feddwl taw crafiadau y'n nhw, neu ôl ewinedd.

Ma'r bag plastig sydd wedi ei dynnu'n dynn dros ben y dyn yn dryloyw, a gallaf weld bod ei lygaid led y pen ar agor ac yn syllu'n ddall ar rywbeth dros fy ysgwydd chwith. Wrth bwyso'n nes, gwelaf fod gwlybaniaeth wedi casglu ar du fewn y bag – ei anadl ola ef.

Dwi'n ochneidio. Nid golygfa ffilm Disney yw hon, ma hynny'n sicr.

'Reit 'te, Jimi,' meddaf. 'Le ti ishe dechre?'

Taliesin

Dwi'n camu allan o ddrws y fflat, yn mynd i lawr y grisie ac yn agor drws yr adeilad. Yna dwi'n stopio. Mae'n iawn penderfynu mynd am dro, ond i ble ydy'r cwestiwn? Troi i'r chwith neu i'r dde? Cyrraedd pen yr hewl a wedyn beth?

Dwi ddim yn teimlo fel mynd am dro. Alla i ddim cofio teimlo fel mynd am dro erioed, a dweud y gwir. Petawn i'n gorfod diffinio gwastraff amser, mynd am dro fyddai hynny – cerdded mewn cylch a chyflawni dim byd. Ar ben hynny mae 'mhen i'n dal i guro a fy stumog i'n dal i droi – mae'n teimlo fel petai band-un-dyn yn perfformio tu mewn i mi.

Mae'n amser cinio dydd Sul, ac mae bron i dri diwrnod ers i mi recordio'r podlediad am Lo Scultore gyda Mari. Roedd ddoe yn ddiwrnod gwael, a dydd Gwener yn waeth fyth. Ar ôl i mi ddychwelyd o'r recordiad fe dreuliais i weddill y noson yn yfed yn drwm, yn ceisio boddi'r dicter oedd yn codi dro ar ôl tro. Dicter tuag at beth? Am fod y person E yma wedi ebostio Mari eto, a'i bod hi wedi ei ateb e? Neu ddicter gyda fi fy hun, am 'mod i'n teimlo'n ddig am hynny yn y lle cyntaf?

Dwi ddim yn gwybod bellach. Ond un peth dwi yn ei wybod yw hyn: am yr oriau yna nos Iau pan oeddwn i yng nghwmni Mari, roedd yna rywbeth ar y gorwel. Y sbec lleiaf o olau, o obaith, gwreichionen fach yn fflachio ac yna'n diflannu. Ond yr oedd e yna, yn bendant – fe wnes i wrthod cynnig o ddiod, er mwyn duw. Bosib fyddwn i wedi mynd noswaith gyfan heb yfed, petai pethau wedi bod yn wahanol.

A dyna pam, pan ddihunais i bore 'ma, y penderfynais i 'mod i'n mynd i roi cynnig arall ar beidio ag yfed, a gwneud rhywbeth â'r diwrnod. Y peth cyntaf wnes i oedd tynnu'r dillad gwely, a rhoi'r set sbâr ar y gwely – rhaid fod misoedd wedi mynd heibio ers i mi newid y dillad gwely. Roedd yr ymdrech o roi gorchudd y dwfe 'nôl bron yn ddigon i wneud i mi chwydu – fe fues i'n brwydro tu mewn i'r gorchudd am amser maith i gael y corneli yn y lle cywir, yr awyr o 'nghwmpas yn mynd yn fwy clos bob munud – ond ar ôl eistedd lawr am dipyn fe gasglais i'r dillad gwely, a phob dilledyn arall oedd yn gorwedd o amgylch y lle a'u gwthio nhw i mewn i'r peiriant golchi. Tra bod y peiriant yn troi, fe wnes i dacluso'r fflat, gwagio'r hen fwyd o'r oergell a golchi'r holl lestri brwnt.

Erbyn hynny roedd hi'n un ar ddeg o'r gloch. Roedd angen rhywbeth arall arna i i'w wneud, rhywbeth i lenwi'r amser, neu lithro 'nôl i freichiau'r botel rym fyddwn i. Awyr iach, penderfynais. Roeddwn i angen rhywfaint o awyr iach. Ac felly, dyma fi, yn sefyll ar y stepen ddrws yn ceisio penderfynu i ba gyfeiriad y dylwn i fynd.

Ar ôl sawl eiliad, dwi'n troi i'r dde gyda'r bwriad o gerdded i gyfeiriad y traeth. Rydyn ni ar drothwy'r haf, y tywydd yn ddigon cynnes i fod allan mewn crys T. Dim fi, wrth gwrs – fe fyddwn i'n teimlo'n ddwl yn cerdded o gwmpas y dre mewn crys T. Mae gen i got ysgafn amdanaf, ac er 'mod i braidd yn rhy boeth does gen i ddim bwriad i'w diosg hi cyn cyrraedd adre.

Mae dyn canol oed yn cerdded tuag ata i, yn gwisgo crys a siorts rhyw dîm pêl-droed – does gen i ddim syniad pa un. Mae'r crys yn las golau, ac mae'n dynn dros ei fol mawr. I fi, mae'n edrych fel rhywun mewn gwisg ffansi – man a man ei fod e wedi gwisgo lan fel cowboi, neu Superman.

Er ei bod yn ddydd Sul mae'n brysur yn y dre – mae'r twristiaid wedi dechrau cyrraedd yn barod, pobol hŷn gan mwyaf, y rhai sydd ddim yn gorfod glynu at wyliau haf yr ysgolion. Wrth gerdded am y traeth dwi'n pasio un cwpwl sy'n ceisio dyfalu, yn eu hacenion Birmingham cryf, lle fyddai orau i fynd am ginio dydd Sul.

Dwi heb gael cinio dydd Sul ers y tro diwethaf i mi fynd adre i weld Mam a Nhad. Ers beth ddigwyddodd gyda Cynan Bould, dwi heb siarad gyda'r naill na'r llall. Fyddwn i'n hapus i siarad gyda Mam, ond fyddai hynny'n ei rhoi hi yn ei chanol hi, a fyddai hynny ddim yn deg. Dwi'n dychmygu ei bod hi'n anodd arni, wedi colli cysylltiad gyda'r ddau fab – un yn llofrudd a'r llall yn hoyw. Anodd dychmygu pa un sydd waethaf yn llygaid fy nhad.

Cyn i mi sylweddoli dwi wedi cyrraedd y Prom. Mae'n brysur ar y stondin sglodion, a'r gwylanod yn cylchu uwchben fel fwlturiaid, yn aros am eu cyfle. Dwi'n penderfynu cerdded i'r pier i brynu hufen iâ, ac wrth i mi agosáu dwi'n teimlo fy ffôn yn dirgrynu yn fy mhoced. Wrth ei dynnu, dwi'n darllen enw Mari ar y sgrin, a dwi'n siŵr fod curiad fy nghalon yn cyflymu mymryn.

'Helô,' meddaf ar ôl cysylltu'r alwad.

'Hi Tal – Mari sy 'ma. Sgen ti funud?'

'Oes,' atebaf yn gryg. Dwi'n clirio fy ngwddf. 'Sori – oes.'

'Dydy o... ddim byd dwi'n siŵr – jyst tipyn bach yn *weird*, dyna i gyd. Ond ti'n cofio'r ebost yna ges i? Yr un oedd gan E?'

Dwi'n teimlo fy nghyhyrau'n tynhau'n syth.

'Ydw,' meddaf yn amheus.

'Wel, mae o 'di anfon un arall. Yr un fath o beth â thro diwetha, ond mae hwn yn sôn am achos gwahanol. Mae hwn yn...'

Mae Mari'n stopio heb orffen ei brawddeg. Mae hyn yn arfer annifyr ganddi, fel petai'n anghofio ei bod ar ganol sgwrs. Dwi'n aros am eiliad neu ddwy, cyn ceisio ei hybu ymlaen.

'Achos gwahanol?' gofynnaf.

'Sori Tal – ia, achos gwahanol. Hynny ydy, mae o 'di anfon erthygl am lofruddiaeth arall, ac mae hon yn agosach at fama – yng Nghwm Rheidol. Dim ond ddoe ddigwyddodd hi – hen ddyn lleol 'di cael ei ladd, does 'na'm enw wedi ei ryddhau eto.'

'Ac mae'r un elfennau â llofruddiaeth y ferch yng Nghaernarfon? Y tebygrwydd i achos Josep Krueller?' gofynnaf.

'Na, nid achos Krueller,' mae Mari'n ateb. 'Mewn coedwig oedd y corff hwn. Dwi'm yn siŵr os ydy hynna'n gneud o'n fwy neu'n llai rhyfadd. Na, fyswn i'n deud bod gan hon elfennau sy'n fwy tebyg i lofruddiaethau Gene Scroggs – dyna be wnes i feddwl yn syth, beth bynnag. *Weird*, ynde?'

Fy nhro i yw hi i fod yn dawel nawr. Mae yna rywbeth yn galw arna i – hen deimlad cyn-blismon, falle – teimlad sy'n awgrymu fod rhywbeth peryglus yn llechu tu ôl i hyn i gyd.

'Ie,' meddaf yn y diwedd. '*Weird*.'

Mari

Mae Taliesin yn gofyn i mi anfon yr ebost ymlaen ato er mwyn iddo fo allu darllen am yr achos newydd yma. Mae'n addo y gwneith o ffonio nôl yn hwyrach.

Dwi wedi darllen yr erthygl sawl gwaith ers i'r ebost gyrraedd rhyw awr yn ôl, gyda'r neges 'Anrheg arall jyst i ti. E x'. Mae gen i waith i'w orffen, ond fedra i ddim canolbwyntio ar hyn o bryd. Yn lle hynny, dwi'n eistedd o flaen y gliniadur ac yn dod o hyd i'r nodiadau bras wnes i eu paratoi ar gyfer pennod y podlediad y soniais i amdano wrth Taliesin, ac yn dechrau darllen.

Ganwyd Gene Lincoln Scroggs yn Montrose, Ohio ar 20 Gorffennaf 1969 – yr union ddiwrnod roedd llygaid y byd wedi eu hoelio ar y gofodwr Neil Armstrong, un arall o feibion Ohio, wrth iddo gymryd ei gamau cyntaf ar y lleuad.

Roedd genedigaeth Scroggs yn un cymhleth, ac er iddo oroesi, fe wnaeth y cyfnod estynedig o ddiffyg ocsigen ei adael gydag atal-dweud, yn ddall mewn un llygad ac yn cael trafferth symud un ochr o'i gorff. Buan iawn y gadawodd ei dad y cartre teuluol, a threuliodd y bachgen ifanc ei ddyddiau ysgol unig yn cael ei fwlio'n greulon am ei anableddau. Yna, yn gwbwl ddirybudd, pan oedd Scroggs yn bedair ar ddeg mlwydd oed, fe dynnodd gyllell hela o'i fag un diwrnod a'i thrywanu'n ddwfn i stumog bachgen oedd newydd ei wthio i'r llawr, cyn aros yn hamddenol i'r athrawon gyrraedd. Yn ôl rhai o'r plant eraill oedd yn dystion i'r ymosodiad, treuliodd

Scroggs yr amser yn gwylio'r gwaed yn diferu oddi ar lafn y gyllell.

Er ei fod wedi ei anafu'n wael, fe fu'r bachgen fyw, ac fe ddedfrydwyd Scroggs i bedair blynedd mewn carchar i fechgyn yng ngogledd Ohio. Cyn gynted ag y cafodd ei draed yn rhydd yn ddeunaw oed, fe symudodd ffwrdd i Boca Raton, Florida yn gyntaf, ac yna, dair blynedd yn ddiweddarach, i Birmingham, Alabama lle y daeth yn gymeriad adnabyddus o fewn sin hoyw'r ddwy ddinas.

Er bod ei bresenoldeb yn y ddwy ddinas yn cyfateb â chyfnodau pan ddechreuodd cyrff dynion ifanc gael eu darganfod yn farw mewn coedwigoedd neu gorsydd unig, doedd neb yn amau Scroggs. Roedd y rhai fu farw yn ddynion ifanc, heini a chafodd pob un ei gipio o leoliad anghysbell, ei arteithio a'i fygu gan sach blastig, a doedd neb wir yn meddwl y gallai dyn bach, anabl o Ohio ddod i ben â hynny.

Yn y diwedd fe ddaeth Scroggs at sylw'r heddlu ar ôl iddyn nhw ddod o hyd i ôl ei fys ar gornel y sach a ddefnyddiwyd i ladd y corff mwya diweddar. Mae darnau o recordiad sain ei gyfweliad heddlu, a gafodd ei chwarae ar y teledu yn America, wedi dod yn enwog ymysg y rheini sy'n dilyn trosedd, oherwydd y ffordd gyfforddus mae Scroggs yn sgwrsio gyda'r plismyn, ar ôl gwrthod cyngor cyfreithiwr.

'Ai ti laddodd y dynion yma?' mae'r ditectif yn gofyn. Mae safon gwael y recordiad, sŵn hisian y tâp a lleisiau pell, arallfydol y siaradwyr, yn gwneud i'r cwbl swnio'n fwy sinistr fyth.

'Wrth gwrs,' mae Scroggs yn ateb heb oedi.

'Pam laddest ti nhw?' daw'r cwestiwn nesa.

'Dwi wedi uniaethu â marwolaeth erioed,' yw ateb Scroggs, yn dilyn saib hir lle roedd fel petai'n ystyried ei ymateb. 'Dim ond hanner byw ydw i – fuodd yr hanner arall ohona i farw wrth i mi gael fy ngeni. Ambell dro fydda i'n teimlo 'mod i angen bod yng nghwmni marwolaeth – bod yno i weld y bywyd yn dianc o gorff rhywun, a gweld y golau yn diffodd yn eu llygaid nhw.'

'A pham eu harteithio nhw felly? Pam eu llosgi nhw a chrafu eu cyrff nhw?' Dyma'r unig ran o'r cyfweliad lle mae Scroggs yn swnio'n flin.

'Dim arteithio oedd hynna – creu rhywbeth prydferth o'n i. Dyna pam wnes i losgi siâp calon ar bob un – i ddangos 'mod i'n eu caru nhw cyn iddyn nhw fynd.' Mae Scroggs yn dawel am eiliad, yn synfyfyrio. 'Roedd yn rhaid i mi roi rhywbeth bach yn eu diod nhw gynta i wneud yn siŵr eu bod nhw'n aros yn llonydd wrth gwrs, neu mi fydden nhw wedi ceisio dianc oddi wrtha i.'

Mae yna dipyn o drafod ar bob llofruddiaeth yn unigol wedi hynny, ac mae Scroggs yn cofio pob manylyn bach.

'Oes 'na fwy o gyrff, Gene? Mwy na'r rheini ry'n ni wedi eu trafod?' mae'r ditectif yn gofyn tua diwedd y cyfweliad. Ar y pwynt yma mae modd clywed Scroggs yn ochneidio. Yna, yn ôl y ditectif oedd yn ei holi, fe osododd ei beneliniau ar y bwrdd a phwyso 'mlaen.

'Mwy na ddewch chi fyth o hyd iddyn nhw,' mae'n ateb, a bron na ellir clywed y wên ar ei wefusau. Wedi hynny mae'n gwrthod ateb mwy o gwestiynau, ac mae'n cael ei arwain nôl i'w gell. Awr yn ddiweddarach daeth plismon o hyd i gorff Scroggs yn crogi ar ddolen drws ei gell, yn gelain.

Dwi'n troi oddi wrth sgrin y gliniadur, yn ceisio rhoi trefn ar y syniadau sy'n gwibio trwy fy meddwl i. Dydy'r erthygl sy'n disgrifio'r darganfyddiad yng nghoedwig Cwm Rheidol ddim yn rhoi llawer o fanylion am y corff, ond mae'r hyn sydd yna yn taro deuddeg gyda'r disgrifiadau o lofruddiaethau Scroggs. Petaen ni ddim ond yn gallu ffeindio allan oedd siâp calon wedi ei losgi ar frest y corff fyddai hynny'n gysylltiad mwy pendant, ond dydy'r heddlu ddim yn dueddol o ryddhau'r manylion hynny i'r cyhoedd, ac yn bendant ddim i newyddiadurwyr fel fi.

A phetai yna siâp calon ar y corff, beth fyddai hynny'n ei olygu? Nid Scroggs ei hun oedd yn gyfrifol mae'n amlwg, gan ei fod o yn ei fedd ers bron i ddeng mlynedd ar hugain, yn yr un ffordd nad Josep Krueller oedd yn gyfrifol am farwolaeth Rosa Krajicek yng Nghaernarfon, ac mae hynny i gyd yn arwain at y prif gwestiwn sy'n troelli yn fy mhen – pwy yn union yw'r E yma sy'n anfon ebyst ata i? Beth ydy'r cysylltiad rhyngddo a'r llofruddiaethau hyn – a beth mae o isio efo fi?

Taliesin

Dwi'n tapio fy ffôn symudol yn erbyn cledr fy llaw wrth bwyso ar reilins metal y Prom, yn hanner gwylio'r tonnau glaswyrdd yn torri ar y traeth cerrig. Dwi'n neidio wrth glywed sgrech fach y tu ôl i mi. Wrth droi fe wela i ddynes gyda gwallt byr a'r llythrennau 'UCLA' wedi'u hysgrifennu'n fras ar ei hwdi llwyd. Mae ar ei thraed y tu ôl i un o fyrddau'r stondin sglodion, yn siarad yn flin gyda'i ffrind ac yn pwyntio i'r awyr. Wrth ddilyn cyfeiriad ei bys gwelaf wylan a'i hadenydd ar led, yn dianc i gyfeiriad y môr gyda rhywbeth sy'n edrych yn debyg i ddarn o bysgodyn wedi'i ffrio yn ei big. Lladrad yng ngolau dydd, meddyliaf. Mae ffrind y ddynes yn codi ei hysgwyddau, cyffwrdd â'i braich yn ysgafn, ac yn cario mlaen i fwyta ei sglodion.

Gan droi fy nghefn ar y cwpwl a dilyn llwybr yr wylan wrth iddi droi mewn cylch mawr, diog cyn ailddechrau ei thaith at y stondin sglodion, dwi'n mynd 'nôl i ystyried yr ebost anfonodd Mari ataf.

Yn bendant, mae yna elfennau o'r llofruddiaeth yn yr erthygl sy'n debyg i lofruddiaethau Gene Scroggs, fel y dywedodd Mari – y corff yn y goedwig, heb grys, wedi ei fygu gan fag plastig. Fe allai hynny fod yn gyd-ddigwyddiad llwyr, wrth gwrs – nid dyma fyddai'r tro cyntaf i rywun fygu wrth anadlu ffiwmiau glud yn y modd hwn, neu wrth chwarae rhyw gêm rywiol oedd wedi mynd o chwith.

Beth sy'n fy mhoeni i yw geiriad yr ebost at Mari.

Anrheg arall jyst i ti.

Neges mor syml, sy'n cyfleu mwy drwy'r hyn sydd ddim yn cael ei ddweud. Yn gyntaf, does dim i awgrymu sut y gellid disgrifio'r erthygl fel anrheg – dwi'n meddwl y byddai'r rhan fwyaf o bobol yn credu bod stori am gorff marw mewn coedwig yn anrheg rhyfedd tu hwnt. Yn ail, o gymryd taw pwrpas y neges oedd denu sylw Mari at y tebygrwydd i lofruddiaethau Scroggs, pam nad oes unrhyw gyfeiriad at hynny o gwbwl? Mae fel petai'r awdur yn sicr y bydd Mari yn deall y tebygrwydd, fel y gwnaeth hi gyda llofruddiaeth Rosa Krajicek. Mae'n amlwg yn ymwybodol fod Mari wedi creu pennod yr un am Krueller a Scroggs yn lled ddiweddar – dwi'n cofio cyfrannu i'r ddwy ohonyn nhw – ac felly dwi'n gyfarwydd â'r achosion. Ond ai cyd-ddigwyddiad pur ydy e felly fod yna ddwy lofruddiaeth mor debyg i'r achosion hanesyddol hyn, a hynny yng Nghymru o fewn deng niwrnod i'w gilydd?

Ac os nad cyd-ddigwyddiad sydd i gyfrif am hyn – ydy hynny'n golygu fod rhywun wedi ail-greu'r llofruddiaethau yma'n fwriadol?

E

Mae'r tywydd yn braf, ac mae'r traffig ar hyd y Prom yn symud yn araf. Mae Alaw yn edrych drwy ffenest y car ac yn mwmian canu gyda'r gân sydd ar y radio. Do'n i ddim eisiau dod allan i ganol y ceir a'r holl bobol yma, ond fe fynnodd Alaw ei bod hi eisiau manteisio ar y tywydd braf. Yn sydyn mae'n dechrau chwerthin.

'Welest ti hynna?' gofynna. 'Ma gwylan newydd ddwyn pysgodyn allan o law menyw tu fas i'r siop sglodion.' Mae'n pwyntio i gyfeiriad y caffi. ''Drych! Honna yn yr hwdi UCLA! Ma hi'n gandryll!' Mae'n troi i edrych arna i, a dwi'n fy ngorfodi fy hun i ymuno yn y chwerthin.

Mae awydd arna i i ladd Alaw, ac mae'r awydd yn gryf y tro hwn, ond dwi'n llwyddo i'w reoli a'i wthio nôl i lawr. Fydde hynny ddim yn gall. Dim eto.

Mari

Mae sgrin y ffôn yn goleuo hanner eiliad cyn i'r dôn ddechrau chwarae, ac enw Taliesin yn ymddangos ar y sgrin.

'Hia Tal,' atebaf yn syth.

'Helô,' mae llais Taliesin yn ateb, cyn ychwanegu'n frysiog, 'Mari'.

'Wel? Be ti'n feddwl?' gofynnaf. ''Nest ti ddarllen yr erthygl? Oeddat ti'n gweld y tebygrwydd i lofruddiaethau Scroggs? Maen nhw'n debyg, tydan? Nid jyst fi 'di o?'

Mae ochenaid ben arall y lein.

'Oes, mae tebygrwydd. Ond dydy hynny ddim i ddweud ei fod e'n union yr un peth, cofia. Dydy'r erthygl yna ar y we ddim yn cynnwys lot o fanylion.'

'Na, dwi'n gwybod,' atebaf yn hanner rhwystredig, hanner cyffrous. 'Ond dwi'n siŵr fod rhwbath mawr yn mynd 'mlaen fama, fedra i deimlo fo. Tasan ni ddim ond yn medru cael mwy o wybodaeth am gyflwr y corff diweddara 'ma...' Dwi'n gadael y frawddeg yn hongian yn yr awyr, ac mae tawelwch yn setlo. Hen dric newyddiadurol yw hwn – creu tawelwch lletchwith sy'n annog y person arall i ateb. Wrth gwrs, dydy Taliesin ddim yn dweud gair, felly dwi'n mynd ymlaen. 'Oes gen ti gysylltiadau yn yr heddlu o hyd allai'n helpu ni, Tal?'

'Fi?' daw'r cwestiwn diangen i lawr y lein. 'Na, dwi ddim yn un i gadw mewn cysylltiad.'

'Ond be am dy gyn-bartner – yr un fuast ti'n gweithio efo

hi ar achos Cynan Bould?' atebaf, yn bendant 'mod i ddim am ildio yn rhy hawdd.

'Siwan Mathews? Na, dwi ddim mewn cysylltiad gyda hi. Wel, mi wnes i 'i gweld hi yn Morrisons y noswaith o'r blaen, ac fe gawson ni sgwrs fach ond fydden i ddim yn...'

'Wyt ti'n meddwl y byddai hi'n barod i gael panad a sgwrs efo ti rywbryd? Ddim i drafod yr achos Scroggs yna yn benodol, wrth gwrs, ond falle tasach chi'n sgwrsio'n gyffredinol a titha'n digwydd sôn...?' Dwi'n gadael y frawddeg i hongian eto, a'r tro yma mae Taliesin yn cymryd yr abwyd.

'Dwi'm yn siŵr am hynny – fe ddwedodd hi rywbeth am i mi ddod mewn i'r orsaf i weld pawb, ond do'n i ddim yn bwriadu...'

'O grêt, Tal,' dwi'n neidio ar yr awgrym cyn i Taliesin ddweud beth oedd o ddim yn bwriadu ei wneud. 'Cyfla perffaith – ti werth y byd yn grwn, wyt wir. Pryd ti'n meddwl y gelli di drefnu hynny, 'ta?'

Taliesin

Wrth orffen yr alwad gyda Mari a rhoi'r ffôn nôl yn fy mhoced dwi'n teimlo'n eithaf cymysglyd – mae'n stumog i'n suddo'n barod wrth feddwl am ddychwelyd i'r orsaf heddlu, gweld Saunders a Mathews a phawb arall eto a theimlo llygaid pawb yn syllu arna i. Ond ar yr un pryd mae'r cyffro a'r gwerthfawrogiad yn llais Mari wedi gwneud i mi deimlo'n ysgafn ac yn hapus – neu o leiaf mor agos i hapus ag ydwi wedi ei deimlo ers sbel.

Roeddwn i'n cerdded wrth sgwrsio gyda Mari, a heb sylweddoli dwi wedi cyrraedd pen gogleddol y Prom, ac yn sefyll yng nghysgod Constitution Hill. O 'mlaen i mae bar haearn hir, wedi ei osod droedfedd neu ddwy i fyny o lefel y palmant – y traddodiad yw i gicio'r bar i gael lwc dda yn y dyfodol. Dwi erioed wedi credu yn y nonsens yna'n bersonol – darnau o fetel sy'n berchen ar bwerau apotropaig? – mae'r syniad yn chwerthinllyd. Ond, wrth i mi droi i ddechrau cerdded 'nôl i'r fflat, gyda'r ddwy lofruddiaeth ar fy meddwl a thaith i'r orsaf heddlu ar y gorwel, dwi'n cymryd cipolwg dros fy ysgwydd i wneud yn siŵr nad oes neb yn fy ngwylio. Yna, gan deimlo ychydig o gywilydd am fod mor blentynnaidd, dwi'n rhoi cic fach i'r bar, cyn troi ar fy sawdl a dechrau cerdded am adre'n gyflym.

Siwan

Dwi dal ddim yn dishgwl i Taliesin droi lan. Dim mewn gwirionedd. Dwi'n gobeithio fydd e. Ond wneith e ddim.

Wneith e?

Yn methu canolbwyntio ar sgrin y cyfrifiadur, dwi'n codi fy ffôn symudol ac yn edrych eto ar y neges gyrhaeddodd ddiwedd pnawn ddoe.

Helô Siwan. Taliesin MacLeavy sydd yma. Tybed a fydde fe'n iawn i mi ddod i'r swyddfa i ddweud helô wrth bawb fory? Diolch.

Dangosais y neges i Iolo yn syth, ond codi ei ysgwyddau wnaeth e, a mynd 'nôl i chwarae Lego gyda'r merched.

'Do'n i ddim yn meddwl y bydden i'n gweld Taliesin yn yr orsaf eto, gweud y gwir 'thot ti. A co fe nawr, yn cynnig dod draw.'

''Di bod yn yfed eto siŵr o fod,' atebodd Iolo dros ei ysgwydd, yn brysur yn chwilio am yr un darn penodol o Lego oedd ei angen ar Cadi. O'n i'n flin gyda Iolo am awgrymu hynna – roedd y syniad wedi croesi fy meddwl i, wrth gwrs, ond fe wnes i fy ngorau i'w roi o'r neilltu. Wnes i ddim gwthio'r sgwrs ymhellach – allen i deimlo bod Iolo'n eitha crac o hyd 'mod i wedi methu'r trip i'r sinema, a do'n i ddim ishe dechre cwmpo mas.

Yn sydyn ma'r ffôn yn canu.

'Ditectif Mathews,' atebaf.

'Hi – y ddesg flaen sy 'ma.' Dwi'n adnabod llais Anni Fflur,

yn swnio'n anarferol o betrusgar. 'Mae 'na... ymwelydd yma...
i dy weld di... Taliesin MacLeavy?' Ma hi'n gostwng ei llais
wrth ddweud y ddau air olaf, fel petai'n rhannu cyfrinach.

'Grêt, diolch, Anni. Anfona fe draw, wnei di? Dwi'n siŵr fod
Taliesin yn cofio'r ffordd i'r swyddfa o hyd.' Unwaith fod y ffôn
'nôl yn ei grud, dwi'n codi, croesi'r stafell, a rhoi cnoc sydyn
ar y drws â'r geiriau 'Pennaeth Adran' arno. Ma Saunders yn
eistedd tu ôl i'w desg, ac yn codi ei phen. 'Ma Taliesin ar ei
ffordd,' meddaf. Ma hithau'n tynnu ei sbectol a'i gosod ar y
ddesg.

'Iawn. Fydda i allan yn y munud. A chofia, os gei di'r argraff
bod ganddo fe ddiddordeb i ddod nôl, dwi ishe gwbod yn
syth.'

Dwi'n mynd i aros wrth fy nesg. Yn fuan ma drws y
swyddfa'n agor, ac ma un o dditectifs yr adran, Pete Greening,
yn dod mewn gyda sigarét electronig yn ei law. Ma fe'n cynnal
sgwrs dros ei ysgwydd gyda Taliesin, sy'n camu trwy'r drws
y tu ôl iddo.

'... a weda i rywbeth arall wrthot ti, sneb fan hyn yn gweld
unrhyw fai arnot ti, nag o's wir. Fydde pob un ohonon ni 'di
neud yr un peth yn dy sefyllfa di, paid ti poeni am 'ny. A wy'n
gwbod bod hyn ddim yn beth "PC" i ddweud, ond yn bersonol
fi'n falch iawn bod y sgwad arfog 'di lladd y Cynan Bould 'na.
Trueni na fydden nhw 'di gallu ei ga'l e'n gynt 'weda i. 'Na'n
gwmws beth ma pobol fel fe'n –'

'Iawn, diolch yn fawr, Ditectif Greening.'

Saunders sydd wedi ymddangos o'i swyddfa. Ma Greening
yn tawelu'n syth, yn mwmian, 'Ma'am', ac yn troi am ei ddesg,
ond nid cyn rhoi clap cyfeillgar ar ysgwydd Taliesin.

'Sut wyt ti, MacLeavy? Braf dy weld di eto.' Ma llais Saunders
yn anghyfarwydd o feddal – mor aml ma fe'n cario min, a hyd

yn oed elfen o fygythiad, ond ma hynny'n gwbwl absennol heddiw.

'Iawn diolch,' ateba Taliesin.

'Cadw'n brysur?'

'Ydw, digon prysur ar y cyfan, diolch.'

'Da iawn, da iawn,' meddai Saunders. Ma eiliad neu ddwy o saib, y naill yn disgwyl i'r llall barhau â'r sgwrs. Pan ddaw hi'n amlwg nad oes gan Taliesin fwy i'w gyfrannu, Saunders sy'n torri'r tawelwch. 'Wel, wna'i adael ti gyda Mathews am y tro, ond fel ddwedes i, mae'n dda gweld ti, Taliesin. Gobeithio welwn ni di eto cyn hir.'

Ma fe'n edrych fel petai'n ceisio ffeindio'r geiriau i ddweud rhwbeth, ond yn y diwedd ma fe'n setlo ar roi nod fach, cyn troi a cherdded draw at fy nesg i.

'Hia Taliesin – reit, weda i beth, t'ishe mynd i'r ffreutur am ddisgled? Ma cwpwl o'r bois mas ar ymchwiliade, ond falle fydd un neu ddau yn cwato mewn fynna.'

'Ie, iawn,' ma fe'n ateb, a dwi'n cael yr argraff ei fod yn ceisio cuddio'i nerfusrwydd. Wrth i mi gloi fy nghyfrifiadur a chodi fy mag ma Taliesin yn clirio ei wddf. 'Sut mae'r merched?' gofynna. Dwi'n ceisio peidio ag edrych arno fe'n syn – do'n i ddim yn dishgwyl i Taliesin ddangos diddordeb mewn rhwbeth mor ddibwys â fy mywyd personol i.

'Ma'n nhw'n grêt, diolch i ti. Aethon ni i'r sinema dros y penwthnos – wel, â'th Iolo â'r plant yn y diwedd, ges i 'ngalw i achos draw yng nghoedwig Cwm Rheidol funud ola, blydi typical!'

'O reit – pa achos oedd 'ny, 'te?' gofynna Taliesin.

'Nath rhywun ffeindio corff hen ddyn lan 'na, wedi ei lofruddio – welest ti fe ar y newyddion?'

'Na, dwi ddim yn meddwl – fydda i ddim yn gwylio'r newyddion yn aml iawn 'di mynd.'

Taliesin

O'n i yn gobeithio y byddai Siwan yn mynd i fwy o fanylion am yr achos heb i mi orfod gwthio, ond cyn i ni gyrraedd y ffreutur hyd yn oed roedd sawl un – ditectifs ac iwnifforms – wedi dod draw i ddweud helô, ac un neu ddau hyd yn oed yn fy nharo'n anghyffyrddus o galed ar fy nghefn. Roedd yn rhaid i mi atgoffa'n hun taw dyna'r rheswm o'n i wedi ei roi am fod yma – dweud helô wrth yr hen griw – ac felly fedrwn i ddim eu hanwybyddu nhw fel o'n i eisiau ei wneud.

Yn y diwedd dwi'n bachu bwrdd bach yng nghornel y ffreutur, a rhoi'r hambwrdd i lawr sy'n dal cwpanaid o de gwyrdd (iddi hi), potel o Ribena (i fi) a fflapjac (i ni rannu, yn ôl Siwan).

Cyn i mi feddwl sut allwn i lywio'r sgwrs 'nôl at y llofruddiaeth yng Nghwm Rheidol, dechreuodd Siwan holi am *Ffeil Drosedd*.

'Wy ond 'di ca'l amser i wrando ar un neu ddau, dweud y gwir – ond 'nes i fwynhau. Ma'r cyflwynydd yn dda iawn – Mair ife?'

'Mari,' dwi'n ei chywiro'n syth. 'Ydy, mae Mari'n dda iawn. Mae'n hawdd siarad gyda hi, a ry'n ni'n...' Dwi'n stopio fy hun, yn teimlo 'mod i'n mynd i ddweud gormod – yma i gasglu gwybodaeth ydw i wedi'r cwbwl, nid rhoi syniadau ym mhen Siwan. Mae hithau'n gwthio darn o'r fflapjac i'w cheg ac yn cymryd llymaid o de gwyrdd.

'Ie, wel – ma'n grêt i weld boti'n cadw'n brysur ta beth,'

mae'n ateb wrth roi'r cwpan 'nôl ar y bwrdd. Mae'n edrych fel petai'n gwenu rhyw ychydig. Dwi'n penderfynu ei bod hi'n bryd llywio'r sgwrs 'nôl at y llofruddiaeth yn y goedwig.

'O ydw, prysur iawn. Ond 'na ddigon amdana i, beth sy'n mynd 'mlaen fan hyn 'te? Llofruddiaeth ddwedest ti gynne?'

'Ha! Wel, alla i weld bod y trwyn ditectif yna gyda ti o hyd, er gwaetha popeth,' mae'n cellwair. 'Ond ie, achos eitha trist. Hen foi o'r enw Reg Walters, yn y goedwig draw yng Nghwm Rheidol, rhywun wedi ei fygu fe gyda bag plastig cofia.'

'O, wy'n gweld,' atebaf, yn ceisio swnio'n ddidaro. 'A ti'n siŵr taw llofruddiaeth oedd e? Dim achos arall o sniffio glud yn mynd o'i le?'

'Na, llofruddiaeth o'dd e'n bendant,' meddai Mathews, gan edrych dros ei hysgwydd a dechrau siarad yn dawelach. 'O'dd ôl arteithio ar ei gorff – marciau llosgi ar ei frest, bron fel tase rhywun 'di... sai'n gwbod... trio creu patrwm o ryw fath. Ofnadw'. A'i lyged e'n edrych arnat ti trwy'r bag wedyn. Ych a fi.'

'Ie,' atebaf, gan gadw'r cymysgedd o emosiwn sy'n cynhyrfu tu mewn i fi rhag codi i'r wyneb. 'Swnio felly.'

'Trueni dros y boi bach,' mae Mathews yn parhau, wrth godi ei chwpan eto. Dwi'n cymryd llymaid o Ribena, yn rhoi cyfle iddi gario 'mlaen. 'O'n i'n darllen ei hanes e bore 'ma. Dim teulu agos, byw ar ben ei hunan, ac ar ben hynny i gyd – yn brwydro yn erbyn alcoholiaeth...' Mae ei llygaid yn codi i gwrdd â'm rhai i am eiliad, cyn troi'n ôl am ei chwpan.

'O?' gofynnaf.

'Ie, wel,' mae'n cario 'mlaen, gan edrych yn anghyffyrddus. 'Oedd gyda fe un o'r darne bach plastig 'na yn ei boced, ti'n gwbod, y rhai ma'n nhw'n rhoi i ti yn Alcoholics Anhysbys i ddangos pa mor hir ti 'di bod yn sobor. Dau fis yn ei achos e, cyn iddo fe...' Mae Mathews yn clirio ei gwddf ac yn rhoi gwên ar ei hwyneb. 'Ond ta wa'th am 'ny, 'na ddigon am bethe fel'na. Gwed wrtha i, beth arall sy'n mynd 'mlân 'da ti?'

Siwan

Dwi'n codi llaw ar Taliesin wrth iddo fe gerdded mas drwy ddrws gwydr yr adeilad, ond dyw e ddim yn troi'n ôl. Ma Anni Fflur wrth y ddesg yn edrych arna i, ar dân eisiau gwbod y rheswm am yr ymweliad er mwyn iddi ddechre rhannu clecs, ond dwi'n rhoi gwên fach a 'Iawn, Anni?' iddi, ac yn cerdded 'nôl i'r swyddfa.

Wrth eistedd ar bwys fy nesg, dwi'n meddwl 'nôl dros y sgwrs yn y ffreutur. O leia doedd Taliesin ddim yn edrych fel petai e wedi bod yn yfed heddi, sy'n beth da, ond o'n i methu dianc rhag y ffaith fod ein trafodaeth wedi fy ngadael i'n teimlo ychydig bach yn anghyffyrddus, er 'mod i ddim yn siŵr pam. Yn y diwedd dwi'n codi ac yn rhoi cnoc ar ddrws swyddfa Saunders.

'Wel?' gofynna, wrth i mi gerdded i'r ystafell a chau'r drws tu ôl i mi. 'Sut oedd e?'

'Iawn,' atebaf. 'Ie, mi o'dd e'n OK fi'n meddwl. O'dd e'n dangos rhywfaint o ddiddordeb yn y llofruddiaeth 'na yng Nghwm Rheidol.'

'Hmmm.' Ma Saunders yn tapio ei beiro yn erbyn y bwrdd yn araf dair gwaith. 'Wel, falle'i fod e'n dechre gweld eisiau'r bywyd yma wedi'r cwbwl. Falle fod gobaith i'w gael e 'nôl.'

'Ie,' atebaf yn ansicr. 'Ie, falle.'

Taliesin

Dwi'n cerdded drwy'r maes parcio heb edrych 'nôl, a dim ond pan dwi ar y palmant ac yn cerdded i gyfeiriad y fflat dwi'n teimlo'r pwysau'n dechrau codi oddi ar fy ysgwyddau i. Fedrwn i deimlo'r llygaid a chlywed y sibrydion o'r eiliad wnes i gerdded i mewn i'r eiliad wnes i adael. Dwi'n addo i mi fy hunan na fydda i byth yn ymweld â'r adeilad yna eto.

Tua hanner ffordd i'r fflat dwi'n tynnu fy ffôn allan o 'mhoced, ac yn ysgrifennu neges frys i Mari.

Wedi cael rhywfaint o wybodaeth. Alli di ddod draw i'r fflat nes 'mlân i drafod?

Mari

Dwi heb fod i fflat Taliesin ers i mi drio ei berswadio i gymryd rhan yn *Ffeil Drosedd*, a'r tro hwnnw es i ddim pellach na'r drws ffrynt. Y tro hwn mae Taliesin yn gwybod 'mod i'n dod o leia, a dwi'n cael fy hebrwng yn syth i'r stafell fyw. Mae'r fflat, o beth wela i, yn daclus ac yn lân – yn oeraidd hyd yn oed. Mae arogl ffresnydd aer yn drwm yn yr awyr, fel petai Taliesin wedi gwagio can cyfan o'r stwff funudau cyn i mi gyrraedd.

'Alla i gynnig unrhyw beth i ti?' gofynna, wrth i mi fynd i eistedd ar y soffa. 'Te, neu goffi? Neu... Ribena? Dŵr?'

Dim opsiwn o ddiod alcoholig, dwi'n sylwi. Dwi wedi bod yn Llys y Goron eto heddiw yn adrodd ar achos y darlithiwr Szymanski, ac ar ôl y daith hir 'nôl i Aber dwi'n barod rŵan am wydraid mawr o win coch. O leia mae'r trafod wedi dod i ben, a'r rheithgor wedi cael eu hanfon i wneud eu penderfyniad. Does dim disgwyl y cawn ni hwnnw am ddiwrnod o leia, o ystyried yr holl adroddiadau a'r dystiolaeth sydd i'w hystyried, felly dwi wedi dweud 'mod i am gymryd diwrnod o wyliau fory.

'Fysa te yn lyfli, diolch, Tal,' atebaf, yn addo gwydraid neu ddau o rywbeth cryfach i mi fy hun ar ôl cyrraedd adra.

'OK,' meddai gan adael yr ystafell, ac eiliadau wedyn mae sŵn tegell yn cael ei lenwi yn dod o'r gegin.

'Fyset ti'n hoffi unrhyw beth i fwyta?' gofynna wrth ddod 'nôl i'r ystafell fyw. 'Mae gen i *pizza*?'

'Na, dim diolch i ti, Tal, dwi wedi bwyta'n barod, sdi. Ond

ty'd, stedda a duda wrtha i be ddigwyddodd heddiw,' dwi'n teimlo'n hanner cyffrous ac yn hanner diamynedd. 'Sut aeth hi efo Siwan Mathews?'

Mae Taliesin yn eistedd ben pella'r soffa, wedi ei wasgu yn erbyn y fraich.

'Wel, o beth ddywedodd Mathews, mae'r achos yma'n swnio'n debyg iawn i lofruddiaethau Gene Scroggs – y dyn wedi ei fygu gan fag plastig clir, mewn coedwig, a phosibilrwydd fod y llofrudd wedi ceisio creu patrwm o farciau llosg ar ei frest.' Mae 'nghalon i'n curo'n gyflymach, a dwi'n teimlo fy stumog yn tynhau. 'Wrth gwrs, dydy hynny ddim yn meddwl fod yna gysylltiad pendant, ond...'

'Ond rhwng popeth – ebyst E, llofruddiaeth Rosa Krajicek mor debyg i achos Josep Krueller – wel, ma'n rhaid fod rhwbath yn mynd 'mlaen, ti'm yn meddwl?'

Mae Taliesin yn ochneidio cyn ateb.

'Ydw, dwi'n meddwl falle fod rhywbeth yn mynd ymlaen. Dwi'm yn siŵr beth eto, ond rhywbeth.'

'Wel, gad i ni ystyried y peth yn iawn. I ddechrau...'

Mae sŵn clic o gyfeiriad y gegin, ac mae Taliesin yn codi'n syth.

'Jyst mynd i wneud dy de di,' meddai wrth adael yr ystafell. 'Wyt ti'n cymryd llaeth neu siwgwr?'

Dwi ar bigau drain eisiau trafod y llofruddiaethau yma ymhellach, ac ar fin dweud wrth Taliesin i anghofio am y te, ond dwi'n brathu fy nhafod ac yn ateb yn gwrtais. 'Llefrith, dim siwgwr plis, Tal.'

Daw sŵn cypyrddau'n agor a chau o'r gegin, yna mae Taliesin yn dychwelyd i'r ystafell.

'Mae gen i de, ond dim llaeth mae arna i ofn,' meddai. 'Fydde well 'da ti rywbeth arall?'

'Na, duw, fydd te du'n iawn, sdi,' atebaf, yn awyddus i gario 'mlaen efo'r sgwrs, ac mae Taliesin yn ailymddangos munud yn hwyrach efo panad o de tywyll, cryf wedi ei lenwi at dop y cwpan, a gwydraid o Ribena iddo fo'i hun. Mae'n llosgi fy mysedd wrth i mi ei gymryd, a dwi'n ei roi i lawr yn syth ar y bwrdd coffi bach. 'Diolch,' meddaf. 'Reit, fel o'n i'n deud – gad i ni fynd drwy bopeth gam wrth gam. Yn gynta, dyma rywun yn fy ebostio i gyda linc i erthygl am lofruddiaeth Rosa Krajicek, dynes gafodd ei lladd mewn ffordd debyg iawn i sut 'naeth Josep Krueller ladd ei fam.'

'Mae yna elfennau tebyg, oes,' mae Taliesin yn cytuno. 'Ond mae'n werth cofio hefyd bod heddlu Caernarfon eisoes wedi arestio partner Rosa Krajicek am ei llofruddiaeth hi.'

'Yn ail,' dwi'n cario 'mlaen, yn anwybyddu'r ymyrraeth. 'Mae'r run person yn fy ebostio i efo linc i'r llofruddiaeth yng Nghwm Rheidol...'

'Reg Walters – dyna enw'r dyn gafodd ei ladd,' ychwanega Taliesin yn torri ar fy nhraws.

'OK – ac mae llofruddiaeth Reg Walters yn dangos elfennau sy'n debyg iawn i lofruddiaethau Gene Scroggs. Ac yn drydydd,' dwi'n symud 'mlaen yn frysiog cyn i Taliesin dorri ar fy nhraws i eto, 'mae cynnwys yr ebyst eu hunain. Pob un ohonyn nhw wedi ei arwyddo'r un peth, efo'r llythyren E a chusan. Mae yna dri ebost i gyd – y ddau gynta yn ymwneud â llofruddiaeth Rosa Krajicek, lle mae un yn deud "I ti", a'r ail yn dilyn gan ofyn "Nest ti weld y tebygrwydd i Krueller?". Mae'r trydydd – yr un efo dolen i'r stori am yr achos yng Nghwm Rheidol – achos Reg Walters – yn deud "Anrheg arall jyst i ti".'

Mae yna dawelwch yn yr ystafell ar ôl i mi orffen siarad. Dwi'n estyn am y banad ac yn chwythu dros yr wyneb cyn cymryd cegaid fach, chwilboeth. Mae'n blasu'n chwerw heb lefrith, ac yn llosgi fy ngwefusau. Mae Taliesin yn eistedd yn gwbl lonydd, hanner gwydraid o Ribena yn ei law. Yn ddirybudd, a chydag un symudiad sydyn, mae'n codi'r gwydr i'w geg ac yn ei wagio.

'Wel,' meddai, wrth sychu ei wefusau. 'Mae yna sawl esboniad posib. Yn gynta, fe alle'r cwbwl fod yn gyd-ddigwyddiad. Falle fod dim cysylltiad rhwng y llofruddiaethau – bod y ddau yn digwydd edrych fel achosion Krueller a Scroggs, a bod rhywun wedi sylwi ar hyn ac eisiau denu dy sylw di at hynny. Yn ail, falle fod rhywun yn ail-greu hen lofruddiaethau, bod rhywun arall wedi sylwi ar hynny ac eto eisiau denu dy sylw di. Neu, yn drydydd, y sawl sy'n ail-greu'r llofruddiaethau yw'r un sy'n dy ebostio di.'

Teimlaf fy hun yn oeri drwof wrth i Taliesin roi ei farn mewn ffordd mor syml a diemosiwn. Dwi'n ystyried gofyn am rywbeth cryfach na the – mae'n rhaid fod potel o rwbath yn y fflat yma? – ond mae yntau'n dal i siarad.

'Ac o'r tri opsiwn yna, yr un sy'n gwneud y mwya o synnwyr i mi, o ystyried pa mor agos oedd y llofruddiaethau, a hefyd o gofio tôn yr ebyst, yw'r un ola. Pan mae'n cyfeirio at "anrheg arall jyst i ti", dwi ddim yn meddwl taw at yr erthygl mae'n gyfeirio, ond at y llofruddiaeth ei hun. Mae'n meddwl taw dyna wyt ti eisiau, a'i fod e'n ei chyflawni i ti.'

Dwi'n rhoi fy nwylo o dan fy nghluniau, yn awyddus na fydd Taliesin yn eu gweld nhw'n crynu, er 'mod i ddim yn siŵr ai crynu mewn ofn neu mewn cyffro ydw i. Fe allai hon fod yn stori anferth, stori sy'n diffinio gyrfa gyfan, dim ond i mi ei chadw hi i mi fy hun am y tro. Mae hynny'n golygu ei chadw o grafangau'r cyfryngau, sydd hefyd yn golygu ei chadw oddi wrth yr heddlu am y tro. Dwi'n canolbwyntio ar fy anadlu, ac yn clirio fy ngwddf cyn siarad.

'Be ti'n feddwl ddylen ni neud nesa,'ta?' gofynnaf. Dwi ddim yn siŵr a yw Taliesin wedi fy nghlywed, ond dwi'n aros yn dawel, ac mewn hanner munud mae'n dechrau siarad eto.

'Dwi'n meddwl fod angen i ni edrych ar bethau yn fwy manwl i fod yn siŵr,' dyweda. 'Fyddet ti'n gallu cael gafael ar fanylion Rosa Krajicek? Fe fydd mwy o wybodaeth ar gael am yr achos hwnnw, gan fod yr heddlu'n meddwl eu bod nhw wedi dal y dyn euog yn barod.'

'Ia, iawn,' atebaf. Mae gen i amball gyswllt ar y papur lleol yng Nghaernarfon. 'A be w't ti'n mynd i neud?'

'Mae angen i ni wybod mwy am yr ail achos. Pwy yn union oedd Reg Walters? A gafodd e ei ddewis yn arbennig, neu oedd e yn esiampl o'r person anghywir yn y lle anghywir?' meddai Taliesin.

'Be *ti*'n mynd i neud? Mynd 'nôl i'r orsaf i siarad efo Siwan Mathews eto?' Dwi'n teimlo pang o banig – os yw Taliesin yn denu gormod o sylw fe fydd ei gyn-gyd-weithwyr yn siŵr o ddechrau gofyn cwestiynau lletchwith.

'Na – na, dim eto,' mae'n ateb yn syth, a dwi'n teimlo rhyddhad sydyn. 'Na, meddwl o'n i y byddwn i'n mynd yn syth i lygad y ffynnon. Ddwedodd Mathews wrtha i fod Reg Walters yn cario tocyn Alcoholics Anhysbys gyda fe. O'n i'n meddwl falle fydde gan rywun yn y grŵp AA lleol mwy o wybodaeth amdano fe. Dy'n ni ddim gwaeth o drio a – wel, ar hyn o bryd does dim trywydd arall i'w ddilyn.'

'Be – ti jyst am landio mewn cyfarfod AA?' gofynnaf.

'Wel, ydw – oni bai fod gyda ti well syniad?'

Dwi'n meddwl am eiliad, cyn ysgwyd fy mhen, ac estyn am y te. Dwi'n gobeithio y bydd canolbwyntio ar wneud ymchwiliad ein hunain yn cadw'r syniad o fynd at yr heddlu o feddwl Taliesin am y tro. A beth bynnag, o 'mhrofiad i o weld Taliesin dros y misoedd diwetha, fyswn i'n synnu dim petai o'n ddigon cartrefol mewn cyfarfod AA.

Taliesin

Dwi'n falch i Mari gytuno taw'r peth gorau fyddai i ni gynnal ymchwiliad ein hunain. Y peth diwetha ydw i eisiau ei wneud yw mynd 'nôl a cheisio esbonio'r sefyllfa i Siwan, neu i Saunders – mae'r cwbwl yn swnio mor annhebygol, mor chwerthinllyd. Fyddwn i ddim eisiau mynd atyn nhw gydag unrhyw beth nes 'mod i'n gwbl bendant fy ffeithiau – allen i ddim diodde nhw'n edrych arna i'n druenus, fel petawn i'n dal i chwarae bod yn blismon. Fe fydd hyn yn anoddach o dipyn heb adnoddau'r heddlu, ond dyna fydd yn rhaid i mi ei wneud.

'Be ti'n feddwl y dylsan ni neud am yr ebost?' hola Mari ar ôl cymryd cegaid o'i the. Fydda i byth yn yfed te – gobeithio 'mod i wedi ei wneud e'n iawn iddi. 'Yr un diweddara 'ma – ddylen ni atab, ti'n feddwl?'

'Na,' dywedaf ar ôl ystyried am eiliad neu ddwy. 'Dim ond ar ôl gweld dy fod ti wedi cydnabod y llofruddiaeth gynta wnaeth e ladd yr eilwaith. Os ydyn ni'n gywir, gobeithio y bydd diffyg ymateb yn ei gadw fe rhag lladd eto – am y tro, o leia.'

Mae Mari'n codi ei chwpan eto, a dwi'n sylwi cymaint mae ei dwylo hi'n crynu. Dwi'n estyn y gwydr at fy ngwefusau cyn sylwi ei fod e'n wag, ac yn codi i fynd i'r gegin. Does gen i ddim awydd Ribena arall a dweud y gwir, ond mae arna i angen rhywbeth i gadw fy nwylo'n brysur.

E

Mae Alaw'n crio yn yr ystafell wely. Mae'n crio am 'mod i wedi gweiddi arni. Wnes i weiddi arni am fy mod i'n flin. Dwi'n flin am fy mod i'n dal heb gael ateb i'r ebost. Ond dyw Alaw ddim yn gwybod am hynny, wrth gwrs.

Mae'r dicter wedi bod yn codi ac yn disgyn tu mewn i mi drwy'r dydd, fel pêl yn bownsio'n afreolus, a dwi'n ei deimlo fe'n cynyddu eto nawr.

Y cynllunio. Y paratoi. Y risg. A dim blydi gair o ddiolch.

Yn y diwedd roedd y cwbwl yn eitha hawdd, ond dim dyna'r pwynt. Roeddwn i wedi bod yn cadw llygad ar Reg ers dipyn, ac yn gwybod pan fyddai'r amser yn dod y bydde fe'n ddigon hawdd i'w dwyllo. Hawdd ei gael e i gredu taw 'digwydd' taro mewn i'n gilydd wnaethon ni, a hawdd ei berswadio i ddod am drip sydyn yn y car 'er mwyn i mi ddangos rhywbeth i ti'. Do, mi wnaeth e ddechre mynd yn amheus ar gyrion y goedwig yng Nghwm Rheidol, ond roedd hi'n rhy hwyr erbyn hynny.

Fe ges i'n synnu pa mor gryf oedd Reg pan wnes i roi'r sach blastig dros ei ben, er gwaetha'r tawelydd wnes i ei roi iddo fe heb iddo sylwi, ond buan iawn wnaeth e lonyddu. Wnes i sylwi wedyn fod pry wedi mynd mewn i'r sach cyn i mi ei chau hi am ei wddf e, a'i fod e'n hedfan o gwmpas cyn glanio ar lygaid agored Reg.

Llosgi'r patrwm yna ar ei frest oedd y rhan waetha o'r cwbwl. Creu rhywbeth prydferth oedd bwriad Gene Scroggs, ond mae'n anodd gweld prydferthwch wrth ddal sigarét at groen dyn a chlywed arogl cnawd yn llosgi yn dy ffroenau. Ond dyna ni – fe fydd e werth yr annifyrrwch yn y diwedd.

Dwi'n agor yr ap ebost ar fy ffôn eto, ond does dim neges newydd wedi cyrraedd yn y cyfamser. Fe fydd yr ebost wnes i ei anfon yn gynharach wedi cael ei agor a'i ddarllen erbyn hyn dwi'n sicr, felly pam na dderbyniais i ateb?

Gan ochneidio'n ddwfn, dwi'n rhoi'r ffôn i lawr, yn codi ar fy nhraed ac yn cerdded i'r ystafell wely. Mae Alaw yn gorwedd ar y gwely, ei chefn tuag ata i, yn snwffian yn uchel. Mae'n troi wrth fy nghlywed i'n cerdded i'r stafell, darn o bapur tishw gwyn yn ei llaw. Does gen i ddim amynedd nag awydd i'w chysuro hi, ond dwi'n gwybod 'mod i angen ei chadw hi'n hapus, dydi hi ddim yn gofyn gormod o gwestiynau ar hyn o bryd. Hefyd, ei thŷ hi yw hwn, ac fe fyddai cael fy hel o'ma yn creu pob math o anawsterau.

'Hei, cariad,' meddaf, gan obeithio bod fy llais yn swnio'n esgusodol ac yn ddiffuant. 'Ma'n ddrwg 'da fi, ddylwn i ddim fod wedi dweud beth ddwedes i.' Mae'n swnffian i'w hances eto, a dwi'n eistedd i lawr ar y gwely ac yn rhoi fy llaw ar ei hysgwydd. Mae'n ystwytho am eiliad, yna'n ymlacio ac yn symud yn nes ata i. 'Dyna ni. Mi ydw i'n dy garu di, gobeithio dy fod ti'n gwybod hynna.' Dwi'n mwytho ei gwallt hi. Fe fydde fe mor hawdd i'w lladd hi.

Ond dim nawr.

Dim eto.

Taliesin

Y diwrnod ar ôl ymweliad Mari â'r fflat, dwi ar fy ffordd i gyfarfod cangen Aberystwyth o Alcoholics Anhysbys. Mae'r grŵp yn cyfarfod yn aml yn ôl yr wybodaeth ar eu tudalen nhw ar y we, a chan fod Mari yn bwriadu defnyddio ei diwrnod ffwrdd o'r gwaith i ddechrau casglu gwybodaeth am achos Rosa Krajicek yn syth, fe benderfynais y dylwn i fynd ati heb oedi hefyd.

Ond, wrth gerdded i mewn i adeilad llyfrgell y dre, does dim i awgrymu lle mae'r cyfarfod AA. Doeddwn i ddim yn disgwyl arwydd mawr lliwgar, ond mi oeddwn i'n disgwyl... rhywbeth. Dwi'n edrych o gwmpas yn fwy gofalus, yn siŵr 'mod i wedi colli arwydd neu nodyn yn rhywle.

'Alla i eich helpu chi?' Mae'r cwestiwn yn dod gan ddyn ifanc, gyda gwallt cwbwl wyn a chroen gwelw, sy'n eistedd wrth ddesg yng nghornel y dderbynfa. 'Ydych chi'n chwilio am rywbeth arbennig?'

'Wel, ydw, dwi'n.... ond nac ydw, dim...' dwi'n hercian, yn ceisio meddwl am y ffordd orau i ffurfio'r frawddeg.

Mae'r dyn yn edrych ar ei oriawr, ac yna'n edrych arna i dros ei sbectol.

'Yma am y cyfarfod ydych chi?' gofynna.

'Y cyfarfod? Ie, ie, y cyfarfod,' atebaf, ac mae'r dyn yn pwyntio at ddrws yng nghornel yr ystafell.

'Trwy'r drws, i lawr y grisiau, a'r cynta ar y chwith.' Wrth i mi droi i ffwrdd mae'n gwenu ac yn codi ei fawd arna i, ac yn ychwanegu 'Pob lwc'.

Dwi'n croesi'r dderbynfa'n gyflym, yn awyddus i ddianc oddi wrth y dyn yma a'i wên dosturiol. Dwi'n gwthio trwy'r drws ar frys, ac mae'n cau'n glep tu ôl i mi, gan fy ngadael yn wynebu dwy set o risiau – un yn mynd am i fyny, a'r llall am i lawr. Mae yna ddarn o bapur A4 ar y wal gyda'r geiriau 'Cyfarfod Alcoholics Anhysbys' a saeth yn pwyntio i lawr y grisiau. Dwi'n dilyn yr arwydd, ac ar waelod y grisiau yn troi i wynebu y drws cyntaf ar y chwith, sydd yn gilagored. Fedra i weld hanner dwsin o bobol yn eistedd mewn cylch, pawb yn wynebu ei gilydd – rhai yn sgwrsio a rhai yn edrych ar eu ffonau symudol. Dylwn i gnocio? Neu gerdded yn syth i mewn?

Dwi'n pwyso ac yn mesur y sefyllfa am dipyn, ond cyn i mi benderfynu clywaf sŵn y drws ar dop y grisiau yn cau gan atsain yn y cyntedd. Mae dyn canol oed, ei wallt yn teneuo a sbectol drwchus ar ei drwyn yn cerdded i lawr tuag ata i'n frysiog. Wrth fy ngweld i'n sefyll ar bwys y drws mae'n gwenu, yn yr un ffordd dosturiol ag y gwnaeth y dyn gwelw yn y dderbynfa, ac wedi craffu arna i trwy ei sbectol dyma fe'n fy nghyfarch:

'Helô. Dwi heb dy weld di yma o'r blaen – tro cynta?'

'Ym… ie, tro cynta, ie…' atebaf.

'Wel llongyfarchiadau ar gymryd y cam cynta yma,' meddai'r dieithryn gan wthio'r drws ar agor a'i ddal led y pen i mi gael mynd mewn gyntaf. Mae'n swnio ychydig yn fyr ei anadl, fel petai wedi brysio yma. 'Eric ydw i, gyda llaw – Eric Esiason. Fi sy'n rhedeg y sesiynau yma. Sdim rhaid i ti roi dy enw, ond mae'r rhan fwya yn rhannu eu henw cynta. Ond ma digon o amser i hynny – dere, stedda a wnewn ni ddechrau.

Sori, bawb,' meddai wrth droi at y criw sydd eisioes yn yr ystafell. 'Sori 'mod i ychydig yn hwyr.'

'Iawn, 'te,' mae Eric yn mynd yn ei flaen, wrth setlo ei hun mewn cadair wag ac edrych o gwmpas y cylch am sawl eiliad. 'Yn gynta, mae gen i newyddion drwg i'w rannu gyda'r rheini sydd heb glywed yn barod. Mae sawl un ohonoch chi yma heddiw yn adnabod Reg sydd wedi bod yn dod i'n cyfarfodydd ni ers sawl mis nawr.' Dwi'n cymryd cipolwg o gwmpas y grŵp, rhag ofn fod unrhyw un yn edrych yn anghyfforddus. 'Mae'n ddrwg iawn gen i ddweud fod yr heddlu wedi bod mewn cysylltiad i adael i ni wybod eu bod nhw wedi darganfod corff Reg dros y penwythnos.' Mae ambell ebychiad yn swnio yn y cylch cyn i Eric Esiason fynd yn ei flaen. 'Wna' i ddim manylu ar amgylchiadau ei farwolaeth, ond os oes unrhyw un yn teimlo eu bod nhw angen trafod hyn ymhellach yna dewch i 'ngweld i ar ôl y cyfarfod. A nawr, dwi'n meddwl y byddai'n addas efallai i ni gymryd munud o dawelwch, i ni gael cofio Reg.' Mae Eric Esiason yn gostwng ei ben, ac mae pawb yn y cylch yn gwneud yr un peth.

Ar ôl cyfnod hir o dawelwch mae Esiason yn siarad eto. 'Er gwaetha'r newyddion erchyll yma, dwi'n siŵr y byddai Reg eisiau i ni gario 'mlaen gyda'n hymdrechion, er cof amdano. Felly, dewch i ni ddechrau fel y byddwn ni bob tro, drwy fynd o gwmpas yn rhoi cyfle i bawb gael dweud gair neu ddau – os ydyn nhw eisiau, wrth gwrs. Wna' i gychwyn – Eric ydw i, dwi'n gynghorydd sy'n arbenigo mewn trin dibyniaeth, a fi sy'n rhedeg y sesiynau hyn. Dwi yma i wrando ac i helpu, ac i greu lle diogel i bawb wella.'

Mae yna wyth ohonom ni yn y cylch nawr, gan gynnwys fi ac Eric Esiason. O'r chwech arall, mae pedwar dyn a dwy ddynes. Mae'r dyn sy'n eistedd ar y chwith i Eric yn codi ar ei draed. Mae'n edrych fel petai yn ei bumdegau cynnar, ac yn pwyso'n drwm ar ffon gerdded wrth iddo godi.

'Helô – Graham ydw i, a dwi'n alcoholig. Ond dwi wedi bod yn sobor am saith wythnos a phedwar dydd y tro yma.'

Gyda help ei ffon mae'n gostwng ei hun yn araf 'nôl i'w sedd, ac yn pesychu.

'Helô,' mae un o'r menywod yn y grŵp yn dweud, wrth godi ar ei thraed. Mae trwch o golur ar ei hwyneb, ond mae croen ei gwddf yn hongian yn llac ac yn bradychu ei henaint. 'Margaret ydw i, a dwi'n alcoholig. Dwi'n yfed pan fydda i'n teimlo 'mod i'n colli rheolaeth, ond dwi'n sobor ers tair wythnos bellach.'

Fesul un mae pob un yn y cylch yn codi ar ei draed ac yn rhannu brawddeg neu ddwy. Yr olaf i sefyll yw'r ddynes arall, sy'n edrych fel petai yn ei thridegau hwyr, a chanddi lond pen o gwrls coch.

'Helô – Alys ydw i, a dwi'n alcoholig. Diolch i Dduw a'r grŵp yma dwi'n sobor nawr ers bron i flwyddyn. Dwi hefyd yn helpu Eric i drefnu'r grŵp yma.'

Wrth i Alys eistedd yn ei chadair mae Eric yn troi ata i.

'A dwi'n sylwi bod gyda ni aelod newydd yn ein plith ni heddiw. Hoffet ti ddweud gair neu ddau, gyfaill?' gofynna.

Wnes i ddim meddwl y byddwn i'n gorfod siarad o flaen ystafell o bobol – yma i wrando ac i hel gwybodaeth ydw i, dyna i gyd. Ond dwi'n teimlo fy hun yn codi ar fy nhraed, ac yn clywed fy llais yn dechrau siarad. Ar y funud olaf dwi'n meddwl y dylwn i ddefnyddio ffugenw, a dwi'n dewis yr enw cyntaf sy'n dod i'n meddwl i, ac am ryw reswm enw fy nhad yw hwnnw.

'Helô. Ifan ydw i. A... wel, dwi'n meddwl bod gen i broblem yfed. Dwi heb yfed ers deuddydd, ac mae hynny'n dipyn o gamp i fi.' Dwi'n aros ar fy nhraed yn ceisio meddwl am rywbeth arall i'w ddweud, ond yn sydyn mae 'nhafod i'n sych, fel petawn i wedi bod yn siarad ers oriau, felly dwi'n eistedd i lawr eto.

'Diolch, Ifan. A chroeso i'r grŵp,' meddai Eric, ac mae pawb yn y cylch yn gwenu tuag ata i. Ac yn sydyn, ac yn gwbl annisgwyl, mae'r baich oedd wedi setlo ar fy ysgwyddau ers amser hir yn teimlo ychydig yn... ysgafnach.

Mari

'OK, diolch, Glenn,' meddaf, y ffôn ar yr uchelseinydd a fy mys yn barod i wasgu'r botwm i ddatgysylltu'r alwad.

'Dim probs, Mari – a chofia be ddwedes i, ie? Alla i fod lawr yn Aber unrhyw noson wthnos nesa os wyt ti ffansi'r ddiod yna.'

Dwi'n falch nad ydym ni ar alwad fideo, neu mae'n siŵr y bysa Glenn wedi sylwi ar yr olwg o ffieidd-dra ddaeth drosta i. Dwi'n ei gofio fe'n fos arna i am y chwe mis fues i'n gweithio yng Nghaernarfon, y patsys chwys o dan ei geseiliau a'r dwylo oedd yn barod iawn i grwydro. Dwi'n gwybod yn iawn fod ganddo fo dri o blant a gwraig y mae'n ei thrin fel baw, a dwi'n teimlo'n afiach jyst yn rhannu'r un alwad ag o, ond yn anffodus fo ydy'r ffynhonnell wybodaeth orau sydd gen i o ran be sy'n mynd 'mlaen ym myd newyddion y gogledd-orllewin.

'Ia, wel – wna'i adael i ti wbod os dwi'n rhydd,' meddaf gan grensian fy nannedd. 'Ond hwyl am y tro, Glenn.' Heb aros iddo ateb, dwi'n gorffen yr alwad.

Mae G&T mawr mewn gwydr trwchus, trwm o 'mlaen ar y bwrdd. Er taw canol y prynhawn ydy hi, mae angen diod gadarn wrth law tra'n sgwrsio efo Glenn McAllister, a dwi'n estyn amdano ac yn cymryd llwnc mawr, cyn dal y gwydr oer at fy nhalcen.

Gwydrau Anti Cerys ydi'r rhein – cefais i'r set gyfan drwy ei hewyllys hi ar ôl i mi wneud sylw amdanyn nhw un tro flynyddoedd maith yn ôl, a dydy G&T ddim yn blasu cystal os nad ydw i'n ei yfed o allan o un o wydrau Anti Cerys. Mae teimlo pwysau'r gwydr yn fy llaw yn gysur, ac mae'n cadw'r ddiod yn oer, cystal â phetaswn i'n ei yfed o yn syth o'r ffrij.

Ar ôl munud o eistedd yn mwynhau'r llonyddwch, mae diferyn o ddŵr yn disgyn o waelod y gwydr i'r bwrdd, a chan ochneidio dwi'n rhoi'r ddiod i lawr. Mae gen i ddarn o bapur o 'mlaen wedi ei orchuddio â nodiadau fy sgwrs i efo Glenn, a dwi'n dechrau darllen drwy'r cyfan i geisio cael rhyw fath o drefn.

Taliesin

Un peth ddaeth yn amlwg wrth i'r cyfarfod AA fynd yn ei flaen oedd bod Eric Esiason yn ddyn sy'n hoff o glywed ei lais ei hun.

Prif elfen y cyfarfod, ar ôl i bawb orffen cyflwyno eu hunain, oedd trafodaeth ar sut i ddefnyddio technegau myfyrdod i helpu ymlacio mewn sefyllfaoedd a fyddai'n gallu arwain at gymryd diod. Trwy gydol yr ugain munud o drafodaeth, dim ond Eric Esiason fu'n siarad, ac erbyn y diwedd dwi'n amau nad oedd gan unrhyw un yr awydd i ofyn unrhyw gwestiynau pellach. Gorffennwyd y cyfarfod trwy wahodd pawb i aros am gwpanaid o de a chyfle i 'gymdeithasu a chefnogi'. Diflannodd tri o'r aelodau yn syth, gan gynnwys Margaret, y ddynes hŷn, ond fe arhosodd y gweddill i gymryd y te oedd yn cael ei gynnig gan Alys, y cynorthwyydd.

'Croeso i'r grŵp,' meddai wrth i mi dderbyn mỳg mawr o hylif brown tywyll. Dwi'n clywed awgrym o acen Lerpwl yn ei llais. 'Bisged?' Mae'n pwyntio at blât o *custard creams* ar y bwrdd, ond dwi'n ysgwyd fy mhen ac yn mwmian 'dim diolch'. Gas gen i *custard creams*.

'Criw cyfeillgar,' dywedaf wrth Alys, yn awyddus i geisio cael ychydig o gefndir y grŵp ganddi. Mae'n gwenu arna i eto – mae'n gwneud hynny dipyn, a bob tro mae dant sydd â chornel ar goll yn ymddangos rhwng ei gwefusau.

'Ydyn, ry'n ni'n trio bod yn go groesawgar.' Gwên arall.

'Ddrwg iawn gen i glywed am y gŵr fuodd farw.'

Mae'r wên yn diflannu nawr.

'Ie, mor, mor drist. Reg, druan...'

Mae Alys yn dawel am dipyn, a gwelaf ddeigryn yng nghornel ei llygad.

'Mae Mr Esiason yn dipyn o ysbrydoliaeth,' meddaf, i gael sylw'r gynorthwywraig unwaith eto.

'O ydy,' mae Alys yn ateb yn frwdfrydig, gan sychu ei llygaid. 'Dwi ddim yn meddwl y byddwn i yma oni bai amdano fe – o ddifri. Mae e 'di achub fy mywyd i. Mae e wedi dysgu cymaint i fi, a nawr dwi'n hyfforddi i fod yn gwnselydd hefyd.'

Dwi'n treulio sawl munud yn ceisio casglu mwy o wybodaeth heb ymddangos yn rhy fusneslyd, ond yn methu â datgelu unrhywbeth o ddiddordeb.

'Iawn,' meddaf o'r diwedd, yn awyddus i symud ymlaen wrth sylweddoli bod sawl un yn dechrau gadael. 'Wel, fe wela i chi yn y cyfarfod nesa, 'te.' Gwên arall, a'r dant anghyflawn yn ymddangos eto.

'Bosib na fydda i ddim yma tro nesa – gen i swydd ran amser ac mae'r oriau'n amrywio. Ond mae 'na dri ohonon ni'n cynorthwyo, a fydd un o'r lleill yma yn bendant – Beth siŵr o fod, neu Josh falle.'

Gan ddiolch eto am fy nhe, a chyda fy nghwpan yn hanner gwag erbyn hyn, dwi'n cerdded heibio Esiason yn hamddenol. Mae yntau'n sgwrsio gyda Graham, sydd yn dal i bwyso'n drwm ar ei ffon gerdded wrth yfed ei de.

'Wir i ti,' clywaf arweinydd y grŵp yn sibrwd yn uchel. 'Fe ddaeth yr heddlu i'r tŷ hyd yn oed. Wedi dod o hyd i un o'n tocynnau ni ar gorff Reg, druan, eisiau gwybod os allen i awgrymu unrhyw fath o fotif, neu rhoi unrhyw gefndir ychwanegol iddyn nhw. Ond ddwedais i wrthyn nhw, mae yna reswm ein bod ni'n galw ein hunain yn Alcoholics

Anhysbys – dydy pwy y'ch chi ddim o bwys, dim ond eich bod chi am drio eich gorau i wella. Ond do'n i ddim yn gwybod unrhyw beth o'n nhw ddim yn gwybod yn barod – fod Reg yn byw ar ei ben ei hun – roedd ei wraig wedi ei adel e flynyddoedd yn ôl. Dwi'n amau falle taw'n grŵp bach ni oedd yr unig beth oedd yn ei gadw fe i fynd... Sut mae, Ifan?'

Mae'n rhaid 'mod i wedi crwydro yn rhy agos i'r sgwrs ac wedi denu sylw Esiason.

'O, iawn diolch,' atebaf, yn ceisio cymryd arna i nad oeddwn yn gwrando. Dwi'n aros yn dawel yn y gobaith y bydd y sgwrs am Reg yn parhau, ond mae Graham wedi gorffen ei de erbyn hyn, ac yn ffarwelio gyda ni'n dau cyn ymlwybro'n araf am y drws, ei ffon yn crafu ar y llawr caled. Fedra i ddim meddwl am ffordd i dywys y sgwrs 'nôl i'r llofruddiaeth heb godi amheuon, felly dwi'n gwrando'n gwrtais wrth i Esiason grynhoi ei drafodaeth ar dechnegau myfyrdod ac yn gorffen fy nhe.

Mari

Dwi'n dal i roi trefn ar fy nodiadau pan mae neges oddi wrth Taliesin yn fflachio ar y ffôn symudol.

Cyfarfod wedi gorffen – ti'n rhydd am sgwrs?

Dwi'n pwyso 'nôl yn fy nghadair. Er 'mod i'n awyddus i glywed sut aeth y cyfarfod, mae fy nghefn yn anystwyth ar ôl bod yn pwyso dros y ddesg ers sawl awr, a dwi angen awyr iach i glirio fy mhen. Dwi'n teipio neges 'nôl yn syth.

Iawn – angen dianc o'r fflat 'ma – ti'n ffansi mynd am dro? Cerdded a siarad?

Wrth aros am ymateb, dwi'n cael pwl annisgwyl o baranoia. Dwi'n darllen y neges i Taliesin eto, yn poeni yn sydyn y gallai o gamddeall – meddwl 'mod i eisiau mwy na jyst cwrdd i drafod yr achos. Dyna sgil effaith gorfod ymdrin â phobol fel Glenn McAllister, sy'n ceisio troi pob dim yn wahoddiad awgrymog. Ar ôl syllu ar y sgrin am eiliad neu ddwy, dwi'n ysgwyd fy mhen. Ti'n bod yn wirion, Mari, meddaf wrthyf fy hun. Does dim ffordd i gamddeall y neges yna.

Taliesin

Ffansi mynd am dro? Cerdded a siarad?

Dwi'n darllen y neges yn ofalus eto. Ydy Mari'n awgrymu rhyw fath o... ddêt? Am ryw reswm mae cledrau fy nwylo wedi mynd yn llithrig i gyd, a dwi'n eu sychu ar hances boced.

Ti'n bod yn ddwl, meddaf wrthyf fy hun. Ti'n darllen gormod mewn i neges syml. Eisiau siarad am y llofruddiaethau mae hi, dim byd arall.

Ie, iawn. Lle a phryd? dwi'n teipio fel ateb.

Mae Mari'n ateb o fewn munud.

Os ddei di heibio'r fflat, awn ni am y Castell?

Dwi'n dal fy hun yn astudio'r neges yma am unrhyw is-destun, er 'mod i ddim wir yn gwybod am beth dwi'n chwilio. Mae fy nwylo i'n chwyslyd eto, a dwi'n eu sychu nhw cyn teipio *Iawn*, a dechrau cerdded am fflat Mari.

Wrth gerdded dwi'n teimlo'n brin o anadl, ac mae fy nghalon yn curo fel drwm. Mae Mari'n byw ar ben uchaf Heol y Bont, a dwi'n ymwybodol y bydda i'n cerdded heibio i dafarn y Llew Du ar y ffordd yna. Yn sydyn mae'r awydd am ddiod yn llethol, ac mae llais yn un o gysgodion fy meddwl yn dechrau rhesymu na fyddai cael un ddiod fach yn gwneud dim drwg, gan 'mod i'n mynd heibio beth bynnag. Un fach, dyna i gyd. Dwy falle, ar y mwyaf.

Dwi'n ceisio cofio'r cyngor yn y cyfarfod AA ar ddefnyddio technegau myfyrdod i dawelu'r llais dieflig yma, ond dim ots faint o weithiau dwi'n anadlu i mewn trwy fy nhrwyn ac allan trwy fy ngheg, dwi'n dal i deimlo fy hun yn cymryd un cam ar ôl y llall yn nes at y Llew Du.

Mae'n ffôn i'n fflachio eto, gyda neges gan Mari.

OK – wela i ti mewn 10

Dwi wedi darbwyllo'n hun yn gyfan gwbl bron nad dêt ydy'r cyfarfod yma gyda Mari, ond er gwaetha hynny dwi'n dychmygu fy hun yn cyrraedd ei fflat yn drewi o rym, a'i siom hithau o 'ngweld i yn y fath gyflwr. Er gwaetha dylanwad y llais bach o'r cysgodion, dwi'n troi ac yn penderfynu cymryd y ffordd hirach i fflat Mari, gan osgoi'r dafarn yn llwyr.

Mari

'Hia Tal,' dwi'n ei gyfarch wrth gau drws ffrynt yr adeilad. 'O damia – 'nes i'm sylwi ei bod hi mor gynnes heddiw. Ti'n meddwl fydda i'n berwi yn y gôt 'ma?'

Mae Taliesin fel petai'n meddwl am dipyn, cyn codi ei ysgwyddau.

'O, ia, fydda i'n iawn. Sgennai'm mynadd mynd â hi 'nôl fyny. Ond ta waeth am hynny – duda 'tha i, sut aeth hi heddiw?'

Mae Taliesin yn mynd ati i grynhoi hanes yr AA yn fanwl. Pan ddwedodd o enw trefnydd y grŵp doeddwn i methu stopio'n hun rhag ebychu 'Eric Esiason!' Y ddau enw'n dechrau efo E! A dyna sut mae'r llofrudd yn arwyddo'i ebyst!'

Mae'r olwg ar wyneb Taliesin yn dweud ei fod o wedi ystyried hyn yn barod, a dwi'n teimlo'n wirion 'mod i wedi cynhyrfu cymaint.

'Dim fod hynny'n golygu rhyw lawar wrth gwrs,' meddaf mewn llais mwy rhesymol. 'Dwi'n cymryd nad oedd dim byd arall yn ei gysylltu fo efo'r llofruddiaethau?'

Rydyn ni wedi cyrraedd adfeilion y Castell erbyn hyn, ac mi ydw i wedi diosg fy nghôt yn barod, ac yn ei chario hi dros un ysgwydd. Mae'r parc chwarae yn brysur efo plant yn rhedeg, neidio ac yn disgyn, tra bod rheng o rieni'n cadw llygad tra'n sgwrsio. Mae rhedwr yn pwffian heibio, y chwys yn peri fod ei grys yn glynu wrth ei gorff.

'Dim byd penodol,' meddai Taliesin, ar ôl ystyried fy nghwestiwn am dipyn. 'Mi oedd e'n adnabod Reg Walters, y dyn gafodd ei ladd. Ac mi wnes i glywed e'n sôn bod yr heddlu wedi dod i'w weld e ynglŷn â'r llofruddiaeth. A fel ti'n dweud, *mae* ei enw e'n dechrau gydag E. Ond dwi ddim yn gwbod. Os ydy obsesiwn y dyn yma gyda'r podlediad yn ddigon i'w yrru fe i ladd, ti'm yn meddwl y bydde fe'n fy nabod i? Hyd yn oed os yw e eisiau dy sylw di, fyddet ti'n meddwl y bydde fe'n nabod fy llais i, ac wedi ymateb mewn rhyw ffordd… ond doedd dim arwydd o hynny.'

'Ella'i fod o'n gallu cuddio ei emosiynau'n dda?' awgrymaf. 'Neu falle'i fod o ddim yn gwrando'n fanwl iawn ar dy ddarnau di.' Mae'r frawddeg olaf yn llithro allan cyn i mi sylwi ei bod yn swnio braidd yn hunanbwysig.

'Falle, falle,' mae Taliesin yn ateb yn feddylgar. 'Dwi ddim yn dweud y dylen ni ddiystyru Esiason, ond mae'r cwbwl yn teimlo braidd yn rhy… amlwg, rhywsut.'

'Rhy amlwg?' gofynnaf. 'Wel dwi ddim yn gyn-dditectif fel ti, ond o be dwi 'di weld wrth edrych ar hen achosion, yr ateb amlyca yw'r un iawn fel arfer. Wedi'r cwbwl, os wyt ti'n gweld rhywun yn sefyll uwchben y corff efo cyllell yn ei law, mae'n debygol iawn mai fo ydi'r llofrudd.'

Er mai jôc oedd o i fod, dwi'n teimlo fod fy ngeiriau braidd yn greulon unwaith eto. Dwi'n cymryd cipolwg ar Taliesin sy'n syllu ar y llawr wrth gerdded, fel petai o'n meddwl yn ddwys.

'Ond wedi deud hynny, ti yw'r unig un o'r ddau ohonan ni sy wedi dal llofrudd go iawn, felly be dwi'n wbod?' ychwanegaf yn frysiog. Dydy Taliesin ddim yn ymateb i hyn chwaith, felly rydyn ni'n cerdded am dipyn mewn tawelwch.

Erbyn hyn rydyn ni wedi cyrraedd y gofeb ryfel, ac yn stopio i werthfawrogi'r olygfa allan i'r môr. Mae'r llanw mewn ar hyn o bryd, a thipyn o ewyn ar y tonnau. Er gwaetha'r gwres mae yna awyr dywyll ar y gorwel. Fyswn i'n synnu dim fod yna storm ar y ffordd.

Taliesin

Mae geiriau Mari yn atseinio yn fy nghlustiau i.

Os ti'n gweld rhywun yn sefyll uwchben y corff efo cyllell yn ei law...

Dwi wedi bod yn y sefyllfa yna ddwywaith.

Un tro pan wnaeth Cynan Bould ladd dynes o fy 'mlaen i, eiliadau cyn iddo fe ei hun gael ei ladd gan uned arfog yr heddlu.

A'r tro arall pan wnaeth Geraint Ellis drywanu MJ tra ein bod ni'n ceisio ei arestio fe. Ond er taw Geraint oedd ei enw, Ellis Wyn oedd e'n hoffi galw ei hun.

Mae yna law oer yn gafael yn fy stumog i wrth i mi syllu allan dros y môr.

Ellis Wyn.

E?

Mari

Mae Taliesin yn dawel am amser hir. Wrth i ni'n dau sefyll yn edrych allan tua'r gorwel mae gwylan yn glanio ar y borfa yn agos i'r lle rydyn ni'n sefyll ac yn edrych arnon ni'n heriol, cyn cymryd dau gam tuag atom ni, yna troi a hedfan i ffwrdd unwaith eto. Dwi'n dechrau oeri wrth i'r awel chwythu o'r môr, ac yn gwisgo fy nghôt unwaith eto. Mae'r tawelwch yn drwm rhyngddon ni, a dwi'n teimlo bod yn rhaid i mi ei dorri.

'Wel, t'isho clywad be wnes i ddysgu am achos Rosa Krajicek?'

Mae fy llais fel petai'n tynnu Taliesin o'i synfyfyrdod.

'O... ie, OK,' mae'n ateb. Dwi ddim yn siŵr os ydy o'n canolbwyntio neu beidio, ond dwi ddim am ddychwelyd i'r tawelwch eto.

'Wel, 'dan ni'n gwbod rhai pethau'n barod wrth gwrs. Roedd Rosa yn 28 mlwydd oed – digwydd bod mi fuodd hi farw ar ddiwrnod ei phen blwydd. O Wlad Pwyl yn wreiddiol, wedi symud i Brydain bum mlynedd yn ôl ac yn byw yng Nghaernarfon ers tair blynedd. Roedd Rosa mewn perthynas efo dyn o'r enw Caelan Russell – bocsiwr amatur a deliwr cyffuriau lleol oedd wedi bod mewn ac allan o'r carchar ers ei arddegau ac oedd, yn ôl y sôn, wedi ymddwyn yn dreisiol tuag at Rosa sawl gwaith yn y gorffennol. Mae Caelan Russell eisoes wedi ei arestio am y llofruddiaeth. Roedd gan y ddau hogan fach blwydd oed o'r enw Maya, ac mae hi wedi bod yng ngofal y gwasanaethau cymdeithasol ers dros naw mis erbyn hyn.'

Dwi'n cymryd cipolwg ar Taliesin, sydd wedi bod yn nodio'i ben wrth wrando, ac yn gweld ei fod yn dal i nodio er 'mod i wedi stopio siarad.

'Mae'n debyg fod Rosa yn gaeth i heroin ers cyn iddi gyrraedd Caernarfon,' dwi'n cario 'mlaen. 'Ond, yn ddiweddar, roedd fel tasa hi'n gneud ymdrech go iawn i guro'r ddibyniaeth, ac yn brwydro i gael treulio mwy o amser efo'r un fach.'

Mae Taliesin yn dal i syllu allan dros y môr, ond dwi'n cario 'mlaen, yn benderfynol o rannu'r wybodaeth hon ar ôl gorfod dioddef sgwrs efo Glenn blydi McAllister er mwyn ei chael.

'Fel 'dan ni'n gwbod yn barod, cafwyd hyd i gorff Rosa gan ei ffrind Sharon – y ddynes yn y clip fideo ar y we – ac fe ddudodd hi fod Rosa yn gorwedd yn y bàth, wedi marw, canhwyllau wedi eu cynnau o'i chwmpas a cherddoriaeth yn chwarae. Achos y farwolaeth oedd anaf difrifol i gefn ei phen.'

'Doedd hynny ddim yn yr erthygl newyddion – yr wybodaeth am yr anaf i'w phen,' meddai Taliesin yn sydyn. Doeddwn i wir ddim yn meddwl ei fod o'n gwrando.

'Na, dydy'r heddlu heb ryddhau'r *post mortem* i'r wasg yn swyddogol,' atebaf. Dwi'n cael cryndod i lawr fy asgwrn cefn wrth gofio McAllister yn dweud 'ond wna'i rannu fe gyda ti, bêb'.

'Wnest ti tshecio os yw ei chariad hi – be-ti'n-galw Russell – dal yn y carchar?'

Dwi'n edrych yn flin ar Taliesin. Falle 'mod i ddim yn dditectif, ond mi ydw i'n newyddiadurwraig ac yn gwybod ambell beth am ofyn cwestiynau.

'Caelan. A do, fe wnes i. Mae o 'di bod yn carchar ers y

diwrnod y cafodd corff Rosa ei ddarganfod, yn taeru ei fod e'n ddieuog yr holl amser.' Dwi'n gwybod beth mae Taliesin yn feddwl – os mai'r un person laddodd Rosa yng Nghaernarfon a Reg Walters yng Nghwm Rheidol, nid Caelan Russell oedd y person hwnnw.

Mae Taliesin yn llonydd am eiliad neu ddwy fel petai'n prosesu'r wybodaeth yma, ac yna mae'n dechrau crafu ei glust dde.

'A ddwedest ti fod Rosa Krajicek yn gwneud ymdrech i roi'r gorau i'r cyffuriau y tro yma?' Dydy o ddim wedi edrych tuag ata i ers sawl munud bellach.

'Oedd – mi oedd hi â'i brid ar geisio cael ei hogan fach hi'n ôl efo hi. Fe gafodd hi ei chymryd i ffwrdd yn syth ar ôl iddi gael ei geni, gan nad oedd Rosa mewn stad i edrych ar ei hôl hi, ond yn ôl be ddeallis i, mi oedd hi'n benderfynol o'i chael hi'n ôl.'

'Pa fath o beth fydde'r gwasanaethau cymdeithasol yn disgwyl eu gweld yn yr achos yma cyn ystyried gadael plentyn i fynd 'nôl at ei mam geni?' gofynna Taliesin.

'Dwi ddim yn gwbod... falle fydda hi'n gorfod cymryd prawf cyffuriau o bryd i'w gilydd?' meddyliaf am dipyn. 'Dangos ei bod hi'n abl i ofalu am y plentyn o safbwynt ymarferol. Mynychu sesiynau sy'n cefnogi pobol sy'n gaeth i gyffuriau...'

Dwi'n stopio ac yn troi i edrych ar Taliesin, ond mae o wedi bachu'r syniad o 'mlaen i.

'Grŵp cefnogaeth fel Narcotics Anhysbys. Debyg i Reg yn mynd i Alcoholics Anhysbys,' meddai.

'Felly... be?' gofynnaf, yn gyffro i gyd. 'Ti'n meddwl taw dyna lle mae'r llofrudd yn dod o hyd iddyn nhw?'

'Mae'n anodd meddwl am le gwell,' meddai Taliesin,

gan droi i fy wynebu i o'r diwedd. 'Stafelloedd llawn pobol fregus, pobol sydd angen help a chymorth, mewn sefyllfa sy'n bwrpasol anhysbys.'

'Ti'n iawn – a'r math o lefydd sy wedi arfar gweld pobol yn mynd a dod.' Mae llygaid Taliesin yn syllu'n syth i'n rhai i am eiliad, yna mae'n edrych i ffwrdd. 'Yno un sesiwn, a 'di mynd erbyn y sesiwn nesa.'

'Oni bai eu bod nhw yna ym mhob sesiwn,' mae Taliesin yn ateb, yn crafu ei glust unwaith eto.

'Be ti'n feddwl?'

'Mae pob grŵp cymorth fel hyn angen arweinydd. Fydde pawb yn ymddiried yn rhywun sy'n gefn i bawb arall, yn enwedig petai'r person yna yn gynghorydd sydd â phrofiad o drin dibyniaeth. Rhywun fel...'

'Eric Esiason,' dwi'n gorffen y frawddeg. 'Shit.'

Taliesin

Mae bwgan Ellis Wyn yna o hyd, ond gyda thipyn o ymdrech dwi wedi ei wthio i gefn fy meddwl, i mi ei ystyried nes ymlaen. Am y tro dwi'n ceisio canolbwyntio ar Eric Esiason yn lle hynny.

Does gen i ddim tystiolaeth bod Esiason yn rhan o grŵp Narcotics Anhysbys ardal Caernarfon, na chwaith fod Rosa Krajicek wedi mynychu'r fath gyfarfodydd o ran hynny. Petawn i'n dal yn yr heddlu mi fyddwn i'n gallu cymryd sgerbwd bregus y theori hon a gwneud gwaith ymchwil i roi ychydig o gnawd ar yr esgyrn. Ond dydw i ddim, ac felly fe fydd raid ffeindio ffyrdd ychydig yn wahanol i ddod o hyd i'r gwir.

'Fydd rhaid i ni fynd i'r grŵp Narcotics Anhysbys yng Nghaernarfon,' meddaf wrth Mari, ac mae hi'n syllu arna i'n gegrwth.

E

Dwi'n tsheco fy ebyst eto, am beth sy'n teimlo fel y canfed tro heno. Dim ymateb o hyd. Mae Alaw yn gorwedd ar y soffa, ei phen yn pwyso ar fy nghlun. Mae wedi bod yn bwyta creision, ac mae briwsion mân ar fy nghoes. Mae yna raglen am westai crand ar y teledu, ond dwi ddim yn talu llawer o sylw iddi. Byddai'n well gen i wylio'r rhaglen ddogfen am y Zodiac Killer ar y sianel arall, ond mae Alaw yn dweud bod rhaglenni am lofruddwyr yn 'creepy'. Does gen i ddim amynedd dechrau ffrae arall ar gefn yr un gawson ni ddoe, felly wnes i gytuno i wylio'r rhaglen yma am westai moethus yn lle hynny.

Dwi'n tsheco fy ebost eto. Dim ymateb. Er taw dim ond echdoe o'n i yn y goedwig yn tynnu'r sach blastig yn dynn dros wyneb yr hen Reg, mae'n teimlo fel amser maith yn ôl, a dwi mor awyddus i glywed yr adborth.

'Be ti'n neud ar dy ffôn drwy'r amser?' mae Alaw yn gofyn. 'Ma hwn yn ddiddorol – ma *jacuzzi* a bwrdd pŵl yn y stafell 'ma, edrych.' Mae'n troi i edrych arna i. 'Fydde fe'n neis mynd ar wylie rhywbryd, ti'm yn meddwl? Pan dwi'n llai prysur yn y gwaith, fi'n meddwl.'

Dwi'n cytuno, ac yn gwenu arni wrth roi fy ffôn yn fy mhoced, er nad oes gen i ddim bwriad mynd i unman gydag Alaw. Mae hithau'n troi'n ôl i wynebu'r teledu.

Fydd y corff nesa yn un na fydd modd ei anwybyddu, dwi'n sicrhau fy hunan. Fe fydd e'n mynnu sylw.

A dwi ddim yn bwriadu aros.

Mari

Erbyn edrych ar y cloc mae'n agos at ganol nos. Dwi'n damio fy hun. Ro'n i wedi newid i fy mhyjamas erbyn naw o'r gloch, efo'r bwriad o gael noson gynnar – edrych am fanylion grŵp Narcotics Anhysbys yng Nghaernarfon, a gweld pryd mae eu cyfarfodydd nhw, yna'n syth i'r gwely. Rwy'n dal methu credu 'mod i wedi cytuno i syniad Taliesin ein bod ni'n mynd i Gaernarfon, ond ar yr un pryd dwi'n gyffrous – yr holl amser yna'n adolygu hen lofruddiaethau, a rŵan dyma fi yng nghanol achos go iawn – efo Taliesin MacLeavy!

'Be 'di dy gynllun di?' gofynnais i, wrth i ni sefyll ar lwybr y Castell. 'Bod y ddau 'nan ni'n mynychu'r cyfarfod NA?'

'Na,' atebodd ar ôl ystyried am dipyn. 'Fydde ddim syniad gyda fi sut i ymddwyn fel rhywun sy'n gaeth i gyffuriau.' Mae'n rhaid fod Taliesin wedi sylwi, fel y gwnes i, fod hynny'n awgrymu ei fod o'n deall yn iawn sut i ymddwyn fel rhywun sy'n gaeth i alcohol, ond fe wnaeth o symud ymlaen yn frysiog. 'A beth bynnag, os taw Eric Esiason sy'n rhedeg y sesiynau yng Nghaernarfon, fe fyddai'n amheus yn syth petai e'n fy ngweld i yna.'

'Wna' i fynd ar fy mhen fy hun, 'ta,' dywedais i'n syth, mewn llais mwy hyderus nag oeddwn i'n deimlo.

'Na, amhosib,' ymatebodd Taliesin yn syth. 'Os taw Eric Esiason sydd wedi bod yn dy ebostio di am y llofruddiaethau, fe fydd e'n adnabod dy lais di'n syth. Na, wnewn ni fynd yna i gadw llygad ar yr adeilad lle mae'r cyfarfod, i weld os ydy

Esiason yn ymddangos, a hefyd rhag ofn ein bod ni'n gallu cael mwy o wybodaeth am Rosa.'

'*Stakeout!*' ebychais yn gyffrous, gan deimlo'n wirion yn syth am gynhyrfu o flaen Taliesin. Buom yn cerdded llwybrau'r Castell am ryw hanner awr wedi hynny gan fynd dros yr hyn roedd y ddau ohonom ni wedi ei ddysgu yn ystod y diwrnod, cyn dod i'r casgliad bod yna gymaint o gwestiynau ag erioed, a phenderfynu ei throi hi am adra.

Wrth fwyta powlen o gawl tomato wedi ei gynhesu yn y meicrodon, fe wnes i ddarganfod bod cyfarfod nesaf Narcotics Anhysbys Caernarfon ddydd Iau – ymhen deuddydd. Dim ond ar ôl cau'r gliniadur a gorffen y cawl, gwely cynnar ar fy meddwl, y gwnes i ddechrau ystyried cyn lleied o ymchwil ro'n i wedi ei wneud ar gyfer y bennod nesa o *Ffeil Drosedd*. Roedd hi'n ddydd Mawrth, doedd prin ddim wedi ei baratoi ar gyfer y recordiad nos Iau. Er ei fod yn teimlo'n rhyfedd i fod yn ystyried recordio podlediad yng nghanol popeth oedd yn mynd ymlaen, ro'n i'n teimlo ei fod yn bwysig i gadw rhywfaint o normalrwydd yn fy mywyd – hynny yw, os gellid ystyried creu podlediad am hen lofruddiaethau yn normal.

Dyna pam dreuliais i'r oriau diwetha yn creu tudalennau o nodiadau ar lofruddiaeth leol o'r nawdegau – marwolaeth Gareth Wall, y meistr sgowtiau o Aberystwyth gafodd ei ladd gan ddyn ifanc o'r enw Chris Kedward.

Taliesin

Ers gadael Mari a chyrraedd adre, alla i ddim canolbwyntio ar unrhyw beth heb i wyneb Geraint Ellis darfu arna i, ei lygaid gwallgof yn fflachio, diferion o waed MJ ar ei foch.

'Mae e wedi bod yn y carchar ers iddo gael ei arestio,' dwi'n ceisio rhesymu. 'Sut yn y byd fydde fe wedi gallu cymryd rhan yn y llofruddiaethau?'

'Falle fod gydag e rywun i'w helpu ar y tu allan, rhyw fath o gynorthwyydd,' mae'r llais paranoid yng nghefn fy meddwl yn dadlau.

'Ond pam fydde fe eisiau hynny? Beth sydd gydag e i ennill?' gofynnaf eto.

'Dial. Dial arnat ti, y person wnaeth ei anfon e i'r carchar,' mae'r llais yn ateb yn syth.

'Ond nid dial arna i fydde fe – gyda Mari mae e'n siarad, yn rhannu'r pethau hyn,' mynnaf, yn ymwybodol yn barod o beth fydd yr ateb.

'Ie – a phwy arall sydd gyda ti? Dyw dy deulu di ddim yn siarad gyda ti, does neb yn agos i ti. Mari yw'r unig un y gallith e ei defnyddio i dy frifo di.'

Yn sydyn dwi wedi blino – wedi blino dadlau, ac wedi blino ar glywed y llais. Dwi'n gwybod, gyda chalon drom, taw dim ond un peth all foddi'r cysgodion hyn. Gydag ochenaid drom, dwi'n codi ac yn cerdded i'r gegin, ac yn estyn am y botel rym.

E

Mae yna niwl bore 'ma, a fedra i deimlo'r awyr laith yn oeri fy nghoesau. Er gwaetha hyn, mae'r chwys yn diferu oddi arna i, y band chwys dwi'n ei wisgo i ddal fy ngwallt oddi ar fy llygaid yn socian erbyn hyn. Dwi'n gwthio fy hun yn galetach, gan deimlo fy ysgyfaint yn llosgi wrth i mi ddringo'r rhiw. Does bron neb ar y strydoedd amser yma'r bore – ambell berson wedi'i lapio yn erbyn y niwl gyda chi ar dennyn, ac un neu ddau sy'n edrych fel petaen nhw ar y ffordd i ddechrau shifft gynnar yn y gwaith. Mae yna redwr arall yn dod i'r golwg dros grib y rhiw, yn loncian yn hamddenol tuag ata i – dyn canol oed, mewn crys T yn dangos iddo orffen ras marathon Llunden yn 2015. Mae'n gwenu arna i wrth i ni basio ein gilydd, ond dwi'n ei anwybyddu ac yn cyflymu eto nes bod fy nghoesau'n sgrechian. Deng munud arall ac fe fydda i adre, ac wedyn, ar ôl cael cawod a newid, fydda i allan eto. Gydag ychydig o lwc fydd Alaw'n dal i gysgu, a fydda i'n gallu osgoi siarad â hi.

Mae'r cynllun yn glir yn fy mhen. Dwi'n gwybod pwy sy'n mynd i farw, a sut, a lle. Dwi'n barod i fynd eto.

Mari

Am un ar ddeg o'r gloch bore 'ma daeth y neges fod y rheithgor wedi dod i benderfyniad yn achos Drew Szymanski, yn gynt nag oedd y mwyafrif yn ei ddisgwyl. Dwi'n eistedd yn y car tu allan i Lys y Goron Abertawe yn gweithio ar fy ngliniadur pan mae un o'r newyddiadurwyr arall yn rhoi cnoc ar y ffenest, a dwi'n neidio allan ac yn brysio i mewn i'r adeilad, yn awyddus i fod yna i glywed y ddedfryd.

Mae'r llys yn ferw o sgyrsiau sibrydedig wrth i mi eistedd yn un o seddi'r wasg, y barnwr yno'n barod, yn cynnal trafodaeth ddwys gyda'r clerc. Mae hyd yn oed y sisial yn tawelu wrth i Dr Andrew Szymanski gael ei arwain i flwch y diffynnydd, yn ddyn gwahanol i'r darlithydd ifanc, hyderus oedd yn gwenu yn ei lun ar wefan y brifysgol. Mae ei ddillad yn rhy fawr iddo, a gan fod ei ben i lawr a'i ysgwyddau'n llipa mae'n edrych fel petai'n trio cropian mewn i'r stafell heb i neb ei weld.

Nesa mae'r rheithgor yn dod i mewn i'r llys mewn un rhes ac yn eistedd i lawr, y blaenor ydy'r unig un i aros ar ei draed. Wedi oedi i sicrhau tawelwch llwyr, mae clerc y llys yn troi at y blaenor ac yn gofyn os ydy'r rheithgor wedi dod i benderfyniad.

'Do,' mae'n ateb. Mae'n ddyn yn ei chwedegau gyda mwstash tenau, llwyd a llais rhywun sydd wedi arfer siarad o flaen pobol – athro efallai.

'Yn yr achos cynta, o drais rhywiol – ydy'r diffynnydd yn euog neu'n ddieuog?'

Dydy'r blaenor ddim yn oedi, ac mae'n ateb yn glir.

'Euog.'

Yn syth mae yna sŵn siffrwd yn y llys, ac un bloedd o 'Yes!', ac mae'r barnwr yn codi ei lais i fynnu tawelwch.

'Yn yr ail achos, o drais rhywiol – ydy'r diffynnydd yn euog neu'n ddieuog?' mae'r clerc yn gofyn.

'Euog,' daw'r ateb eto.

Mae yna bedwar achos o drais rhywiol yn erbyn Szymanski, yn ogystal â sawl un arall yn ymwneud â chyffuriau, ond erbyn hyn mae'n glir ei fod yn mynd i'w gael yn euog o bob un. Mae'r darlithydd yn eistedd ym mlwch y diffynnydd ac yn syllu ar y llawr, ei ben yn ysgwyd yn ysgafn. Mae angen i mi adael y llys i ddiweddaru gwefan y papur gyda'r newyddion yma, ond dwi'n aros i weld a fydd y barnwr yn cyhoeddi'r ddedfryd yn syth.

Ar ôl mynd trwy bob achos mae blaenor y rheithgor yn eistedd, ac mae sylw'r llys yn troi at y barnwr. Mae Szymanski yn codi ar ei draed, gyda chymorth un o'r heddweision sy'n sefyll bob ochr iddo.

'Andrew Marcus Szymanski,' mae'r barnwr yn adrodd. 'Rydych chi wedi eich cael yn euog o droseddau difrifol tu hwnt. Rydych wedi manteisio ar fod mewn awdurdod, ac wedi trin y merched ifanc a roddwyd yn eich gofal fel ysglyfaethau. Dydych chi heb ddangos unrhyw edifeirwch am y dioddefaint rydych chi wedi ei achosi. Mi fydda i'n gofyn am adroddiadau seicolegol ar yr effaith mae hyn wedi ei gael ar y merched ifanc hyn, ond mi fyddwn i'n eich cynghori chi i ddisgwyl dedfryd o gyfnod estynedig yn y carchar. Ewch â fe o 'ma.'

Wrth i Szymanski gael ei arwain i ffwrdd mae'r llys yn llenwi gyda sŵn – rhai yn clapio, un yn gweiddi 'Cywilydd!' at gefn y diffynnydd, a phawb yn seddi'r wasg yn codi fel un er mwyn dianc i gyflwyno cofnod o'r hyn ddigwyddodd. Dwi'n brysio allan i'r car, yn agor y gliniadur ac yn dechrau teipio, gan sylwi 'mod i wedi stopio cyfeirio at y dyn euog fel 'Drew' – dydy'r talfyriad cyfeillgar ddim yn gweddu i'r dyn bellach. Andrew Szymanski ydy o nawr – treisiwr, ysglyfaethwr, carcharor.

Taliesin

Mae gwres yn golchi drosta i mewn tonnau wrth i mi orwedd yn y gwely, yn ceisio peidio â symud, yn ceisio llonyddu'r cyfog sy'n bygwth gwthio'i ffordd o fy stumog. Dwi'n diawlio'n hun eto, am fod yn wan, am ddisgyn oddi ar y wagen mor fuan. Mae fy meddwl yn crwydro 'nôl i'r cyfarfod AA, ac yn cofio Graham yn dweud iddo lwyddo i beidio â chymryd diod am saith wythnos. Dw innau heb lwyddo i aros yn sobor am un, hyd yn oed. Dwi'n teimlo'n uffernol, yn gorfforol ac yn ysbrydol, a'r peth gwaethaf yw 'mod i'n gwybod taw y ffordd gyflymaf i anghofio am hyn i gyd yw i ddringo 'nôl i mewn i'r botel.

Mae fy stumog yn tynhau, a'r tro hwn fydd dim dal y cyfog yn ôl. Dwi'n codi ar frys, yn brysio i'r ystafell ymolchi, gan basio'r drws agored i'r gegin. Mae fy llygaid yn gweld cwpan gwag ar ochr y bwrdd – y cwpan y bu Mari yn yfed ohono y noswaith o'r blaen.

Munud yn ddiweddarach dwi'n eistedd ar lawr yr ystafell ymolchi, fy stumog wedi gwagio, fy mhen yn curo'n waeth nag erioed. Dwi'n gafael yn y ddelwedd o Mari yn eistedd yn y stafell fyw, yn cofio ei ffordd hi o eistedd, o ddal ei chwpan. Yna, mae geiriau Graham yn y cyfarfod AA yn dod yn ôl ata i.

'Dwi wedi bod yn sobor am saith wythnos a phedwar dydd y tro yma.'

Y tro yma.

Wna' i ddim rhoi'r gorau i drio.

Cyn i mi newid fy meddwl, dwi'n codi oddi ar y llawr ar goesau sigledig, yn cerdded i'r gegin ac yn tywallt cynhwysion pob un potel sydd yn y cwpwrdd i lawr y sinc.

E

Mae'r ffôn yn chwarae tôn fach i ddangos bod neges destun wedi cyrraedd.

Saith o'r gloch amdani – edrych 'mlaen!

Mae'r neges yn gorffen gydag wyneb bach melyn yn wincio. Afiach.

Mae'n bedwar o'r gloch nawr. Yng nghist y car mae popeth dwi ei angen yn eistedd yn daclus mewn bag mawr du, y fwyell yn gorwedd nesa ato.

Mari

Dwi'n eistedd yn y swyddfa, yn gorffen erthygl hir am achos Andrew Szymanski. Mae hon i ddilyn y fersiwn bras o'r stori gafodd ei gyhoeddi ar wefan y papur, ar ôl i mi ei ddrafftio a'i ebostio o faes parcio'r llys ar ôl y ddedfryd. Mae'r ail erthygl yma'n cynnwys dyfyniadau wedi eu dethol o sawl ffynhonnell, gan gynnwys ymateb swyddogol y brifysgol i'r achos, a gafodd ei gyhoeddi wrth i mi yrru 'nôl i Aber, yn cydymdeimlo gyda'r merched a ddioddefodd wrth law y darlithydd ond yn cadarnhau bod y coleg yn ddiogel i fyfyrwyr o hyd.

Unwaith 'mod i'n hapus gyda llif a thôn yr erthygl, dwi'n ei hanfon i gael ei golygu, cyn iddi gael ei chyhoeddi ar y we. Tra 'mod i'n aros am adborth dwi'n ceisio dechrau ar stori arall, am deulu o ffoaduriaid o Syria sydd wedi ymgartrefu yn Aberaeron, ond fedra i ddim canolbwyntio. Mae fy meddwl i'n dychwelyd dro ar ôl tro at lofruddiaethau Rosa Krajicek a Reg Walters a dwi'n dychmygu gorfod wynebu E, pwy bynnag ydy o, yn y llys. Tybed a fydda i'n gorfod rhoi tystiolaeth yn ei erbyn wrth iddo fy ngwylio i o flwch y diffynnydd, yn yr un ffordd y gwyliodd Andrew Szymanski y myfyrwyr ifanc a fu'n tystio yn ei erbyn yn y llys yn dod â'i hen fywyd parchus, cyfforddus i ben.

Gyda diddordeb mewn gweld wyneb ar gyfer E o bosib, dwi'n agor y porwr ar y cyfrifiadur ac yn teipio Eric Esiason yn y blwch chwilio. Dyn canol oed ydy o, gyda sbectol drwchus, ysgwyddau llydan a gwallt wedi ei drefnu mewn *combover* i geisio cuddio'r ffaith ei fod yn moeli. Mae ei lygaid yn ddiemosiwn hyd yn oed pan mae'n gwenu. Dyn eitha cyffredin a bod yn onest. Dydy hyn ddim yn fy synnu i – dwi'n gwybod o'r holl ymchwil ar gyfer *Ffeil Drosedd* fod bron pob llofrudd yn edrych fel y math o berson y gallech chi gerdded heibio iddyn nhw ar y stryd ac anghofio amdanyn nhw'n llwyr eiliad yn ddiweddarach.

Mae'r mwyafrif o'r tudalennau sy'n sôn amdano ar y we yn ymwneud â'i waith yn helpu pobol sy'n ddibynnol ar alcohol a chyffuriau. Tua diwedd ail dudalen y canlyniadau mae hen erthygl o 1998 yn dal fy llygaid – stori bapur newydd am ddyn o'r enw Eric Esiason oedd wedi ei gael yn ddieuog o guro dyn arall yn ddifrifol ar ôl dadl yn ymwneud â damwain car. Mae'r erthygl yn esbonio bod yr achos wedi ei daflu allan o'r llys oherwydd anghysondebau yn ymchwiliad yr heddlu, ac mae'r llun sy'n gysylltiedig â'r stori yn dangos dyn tipyn iau, gyda mwy o wallt, ond yr un ysgwyddau llydan a llygaid diemosiwn. Mae gan Esiason hanes o fod yn dreisgar felly, meddyliaf wrth dynnu'r ffôn o 'mhoced ac anfon neges i rannu'r hyn dwi wedi ei ddarganfod gyda Taliesin. Mae'r ffôn yn dangos bod Taliesin yn treulio tipyn o amser yn teipio, a phan ddaw'r neges mae'n un hir.

Welais i hynna. Mae yna gyfweliad gydag e flynyddoedd wedyn lle mae'n sôn ei fod e'n alcoholig ar y pryd, ac yn cofio dim am y peth. Dyna un o'r pethau wnaeth ei arwain i ddilyn gyrfa yn trin dibyniaeth. Ers hynny mae e wedi bod yn gweithio gyda phobol sydd newydd ddod allan o'r carchar, yn eu helpu nhw gyda'u problemau, eu helpu i ffeindio gwaith ac ati.

Dwi'n ei ateb yn syth, yn awyddus i beidio â diystyried y darn yma o wybodaeth yn fyrbwyll.

Ond mae'n profi bod ganddo ochr dreisiol, ti'm yn meddwl? Be os ydy hwnnw wedi codi i'r wyneb eto?

Dydy'r ateb nesa ddim yn cymryd mor hir i Taliesin ei deipio.

Falle. Wyt ti dal yn rhydd i fynd i Gaernarfon fory, i gadw llygad ar y cyfarfod Narcotics Anhysbys?

Yn ymwybodol bod Taliesin, i bob pwrpas, wedi wfftio'r hyn roeddwn i'n ceisio ei ddweud, dwi'n codi o fy nesg ac yn croesi'r swyddfa, fy meddwl yn llawn amheuon am Eric Esiason o hyd. Wedi cnocio ar ddrws agored swyddfa Ian y golygydd, dwi'n gwneud cais i gael gwyliau fory. Mae Ian yn codi ei aeliau trwchus, blewog arna i.

'Eto?' gofynna. 'Dim ond ddoe gest ti wylie. Ond ie, iawn, os oes rhaid – ond gwna'n siŵr fod yr erthygl am y *Syrians* 'na'n barod erbyn diwedd y dydd.'

Dwi'n diolch iddo, ac yn dychwelyd at fy nesg, er mwyn ailafael yn stori'r ffoaduriaid yn Aberaeron, ond yn gynta dwi'n anfon neges gyflym at Taliesin.

Ia, OK. Faint o'r gloch?

Y tro hwn daw dwy neges, un ar ôl y llall.

10:30.

Wna' i ddreifio.

E

Dwy awr i fynd. Fedra i ddim aros yn llonydd. Mae bron yn amser.

Taliesin

Treuliais i'r prynhawn yn gwneud mwy o ymchwil i achosion Josep Krueller a Gene Scroggs. Y rhai mae Mari a finnau'n amau bod llofruddiaethau Rosa Krajicek a Reg Walters wedi eu seilio arnyn nhw.

Does dim llawer o hanes Krueller i'w gael, a dwi eisoes yn gyfarwydd gyda'r rhan fwyaf o'r wybodaeth sydd yno. Dwi hefyd yn gwrando ar y bennod o *Ffeil Drosedd* sy'n trafod yr achos – dwi erioed wedi gwrando ar un o'r penodau hyn o'r blaen, a dwi'n cael fy synnu, nid yn unig gan broffesiynoldeb gwaith golygu Mari, ond hefyd faint o ran dwi'n ei chwarae yn y rhaglen. Mae'r bennod tua awr o hyd, ac mae o leiaf hanner ohoni'n rhoi sylw i fi wrth i mi ddamcaniaethu neu ateb cwestiynau Mari. Ar ôl sawl awr o ymchwil, dwi'n rhoi'r gorau i achos Josep Krueller heb ddysgu rhyw lawer ac yn symud ymlaen at Gene Scroggs.

Yn wahanol iawn i Krueller, mae yna wledd o wybodaeth am Scroggs – gwefannau cyfan yn trafod ei hanes – ac mae e'n ymddangos ar nifer o restri 'Top 10 Serial Killers' y we. Mae'r bennod *Ffeil Drosedd* am Scroggs yn awr a hanner, ac unwaith eto mae fy nghyfraniad i'n para am tua hanner yr amser hwnnw. 'Gen i gywilydd clywed fy hun yn siarad, yn enwedig a finnau'n gallu clywed y ddiod yn fy llais o bryd i'w gilydd.

Ar ôl treulio oriau'n darllen trwy gymaint o gofnodion am lofruddiaethau Scroggs ag y medra i ddod o hyd iddyn nhw, a hithau wedi dechrau tywyllu tu allan, dwi'n eistedd yn ôl

yn fy sedd, yn yfed diferion olaf y Ribena, a chyfaddef i fi'n
hun 'mod i wedi methu. Os oes yna unrhyw fath o gysylltiad
rhwng achosion Krueller a Scroggs, fedra i ddim o'i weld.

Mae'r cloc ar waelod sgrin y cyfrifiadur yn dangos ei bod
hi'n saith o'r gloch.

E

Saith o'r gloch yn union.

Mae'r car yn parcio drws nesaf i fy nghar i, yr injan yn diffodd. Mae'r drws yn agor, a dyma fe'n dringo allan. Mae e'n gwisgo crys patrymog a jins glas golau – yn ceisio edrych yn ifancach nag y mae mewn gwirionedd. Mae e'n dod draw, yn agor drws y pasenjyr ac yn dringo mewn i'r sedd nesa ata i.

'Noswaith dda,' meddai mewn llais gwirion. Mae'n nerfus, neu'n gyffrous, neu'n gyfuniad o'r ddau.

'Noswaith dda,' atebaf, gan orfodi fy hun i wenu. 'Coffi?'

Mae e'n edrych braidd yn syn ar y fflasg, ond coffi yw ei fan gwan, a wneith e byth wrthod un.

'Ie, OK, 'te, lyfli.'

Dwi'n tywallt cwpanaid o goffi iddo, ac mae e'n yfed llond ceg.

Fydd y cyffur yn dechrau gweithio'n syth, ac fe fydd e'n ddiymadferth mewn llai na munud.

Mari

Mae'n ddiwrnod clòs heddiw, a dwi wedi penderfynu dod allan heb gôt. Wrth i mi sefyll ar y palmant yn aros i Taliesin fy nghasglu i fynd i Gaernarfon, dwi'n edrych ar fy ffôn, yn mynd trwy sylwadau'r darllenwyr ar waelod fy erthygl am yr achos llys ddoe. Fydda i'n gwneud hynny bob hyn a hyn – yn gyffredinol mae'n brofiad digon digalon, y mwyafrif o'r sylwadau'n chwilio am ffrae. Yn yr achos hwn mae sawl un yn galw am i Andrew Szymanski gael ei grogi neu ei sbaddu, neu'r ddau.

Dwi'n codi fy mhen wrth glywed car yn agosáu, yr injan yn swnio fel petai'n cael ei yrru mewn gêr neu ddau yn is na'r hyn sy'n briodol. Gwelaf mai Taliesin sydd wrth y llyw, golwg ddwys ar ei wyneb wrth iddo ganolbwyntio, a chodaf fy llaw. Mae'n tynnu mewn at y palmant yn herciog. Dwi'n agor y drws ac yn dringo i mewn.

'Bore da, Tal. Clòs heddi, tydi? Storm ar y ffor' heno, meddan nhw.'

Mae Taliesin yn cytuno ei bod hi'n glòs wrth aros yn amyneddgar am fwlch yn y traffig cyn tynnu allan eto, er mwyn i ni ddechrau ar ein siwrnai.

'Wnes i ddarllen dy erthygl di ar achos Szymanski ddoe. A'r un am y ffoaduriaid,' mae Taliesin yn dweud yn sydyn.

'O do?' atebaf. 'A? Be 'ddat ti'n feddwl, 'te?'

'Diddorol. Wyt ti'n gwybod pryd fydd y barnwr yn dedfrydu?'

'Wsnos nesa siŵr o fod,' atebaf. 'Ond i'r carchar mae o'n mynd. Bastard o foi, 'de? Goeli di, gynno fo wraig a dau o blant adra hefyd.'

'Fe fydd e'n ffeindio hi'n galed yn y carchar. Ymosodwyr rhywiol sy'n cael eu trin waetha.'

'Da iawn, dduda i. Dim mwy na mae o'n ei haeddu.'

Rydyn ni'n dawel am dipyn wrth i Taliesin ddilyn y system unffordd drwy'r dref, yna'n mynd i fyny rhiw Penglais gan ddilyn y ffordd tuag at Bow Street fydd yn ein harwain ni i gyfeiriad Caernarfon.

'Wnes i wrando ar y podlediadau hefyd. Y rhai am Gene Scroggs a Josep Krueller,' meddai Taliesin ar ôl tipyn, gan dorri'r tawelwch.

'Do? Ti'm 'di gwrando arnyn nhw o'r blaen, 'te?' gofynnaf.

'Naddo. Fyddi di'n gwrando 'nôl ar dy waith dy hun?'

'Na, bron byth – ar ôl gneud y gwaith ymchwil, y recordio ac yna eu golygu nhw, fydda i 'di cael llond bol arnyn nhw fel arfar. Ond be oeddat ti'n feddwl ohonyn nhw, 'ta, fel rhywun sy'n cymryd rhan?' Mae gen i wir ddiddordeb ym marn Taliesin.

'Gwell nag oeddwn i'n ei ddisgwyl,' mae'n ateb, a dwi'n ceisio penderfynu os ydy o'n canmol neu beidio. 'Roedd mwy ohona i na beth o'n i'n ddisgwyl.'

'Ia? Wel, mae o'n newid o bennod i bennod... ond wedi meddwl, mi oedd 'na lot o stwff da gen ti yn y bennod ar Scroggs yn enwedig. Ti'n cofio? Wnest di ddatgelu sut oedd Jeffrey Dahmer yn byw yn reit agos iddo, yn Ohio – o fewn deng milltir, ia?'

'Ugain milltir.'

'Ia, ia, ugain milltir. Yna wnest ti grybwyll y posibilrwydd bod llofruddiaethau Dahmer wedi cael effaith ar Scroggs, wedi ei ysbrydoli o – efallai fod y ddau wedi cwrdd hyd yn oed. Dwi'n cofio ti'n deud bod Dahmer yn adnabyddus yn lleol am neud petha amheus fatha codi ofn ar ddieithriaid trwy esgus cael ffit o'u blaenau nhw, neu ddynwared pobol ag anableddau, bod ganddo grŵp o ffrindiau ysgol o'r enw 'The Dahmer Fan Club' fyddai'n ei annog i neud y triciau 'Doing a Dahmer' yma. Ei bod hi'n eitha posib fod yr hanesion yma 'di cyrraedd Scroggs dros amser.'

'Ydy, ma'n bosib. Yn y diwedd fe wnaeth y grŵp bellhau wrth i driciau Dahmer fynd yn fwy tywyll a chreulon, ond erbyn hynny mi oedd e wedi cael blas arni. Roedd e'n gymeriad peryglus, anwadal, ac mi oedd e wedi cael cadarnhad ei bod hi'n iawn i dorri'r rheolau,' mae Taliesin yn ateb. 'Ia, difyr. Ond ta waeth am hynny i gyd, dwi'n falch dy fod ti'n hapus gyda'r penodau, rŵan dy fod ti wedi gwrando'n ôl arnyn nhw.'

Rydan ni'n dawel nes ein bod ni wedi pasio trwy bentref Bow Street.

'O, gyda llaw,' meddaf. 'Fi 'di dechrau ymchwilio i'r bennod nesa. Dwi'm yn siŵr pryd fyddwn ni'n ei recordio hi'n union gyda hyn i gyd yn mynd â'n hamsar ni, ond dwi'n awyddus i gario 'mlaen os w't ti?'

Mae Taliesin yn tynnu ei lygaid oddi ar y ffordd am amrantiad i edrych arna i, yna'n codi ei ysgwyddau gan ddweud, 'Ie, iawn. Pa achos?'

'Un dwi 'di bod isho'i neud ers tro,' atebaf. 'Achos lleol – siŵr dy fod ti'n gyfarwydd ag o. Wedi meddwl, ella fod dy dad wedi gweithio arno hyd yn oed? Achos Chris Kedward, y dyn laddodd y meistr sgowtio yna, Gareth Wall?'

Mae Taliesin yn troi i syllu arna i am dipyn y tro hwn, a gwelaf ei fod yn dal yr olwyn lywio mor dynn nes fod ei fysedd yn wyn.

'Chris Kedward?' gofynna gan glirio ei wddf.

'Ia – ti 'di clywad amdana fo, 'do?'

'Do, wrth gwrs, ond... wel, dwi ddim yn meddwl fydde'r hanes yna'n destun rhaglen dda iawn, dyna i gyd,' mae Taliesin yn ateb yn frysiog.

'Na? Pam? Mae'n gyffrous, ma 'na elfen o ddirgelwch yno, mae 'na gymeriadau cryf...'

'Jyst... jyst na, Mari,' mae'n ateb, gydag ychydig o fin ar ei lais.

'Ond pam?' gofynnaf eto. Mae Taliesin yn aros yn dawel, felly, ar ôl tipyn, dwi'n trio eto. 'Pam, Tal?'

'DIM YR ACHOS YNA,' mae'n gweiddi'n sydyn, ac yn gwneud i mi neidio. Mae'r ffyrnigrwydd yn ei lais yn fy synnu i. Mae'n anadlu'n ddwfn, cyn dweud yr un peth eto, y tro hwn yn ei lais tawel, arferol, efo'i lygaid yn dal i syllu ar y ffordd o'n blaenau:

'Dim yr achos yna.'

Taliesin

Dwi heb feddwl yn iawn am achos Chris Kedward ers blynyddoedd. Mae e yna'n aml, ar y cyrion, yn ceisio denu fy sylw i, ond dwi wedi llwyddo i'w anwybyddu, esgus nad yw e ddim yna. Mae'r ddiod yn helpu gyda hynny, yn helpu fi i osgoi'r realiti arbennig yna. Dyna sut wnaeth y cwbwl ddechrau, os ydw i'n meddwl am y peth. Do'n i ddim yn yfed o gwbl cyn hynny, ond daeth yr euogrwydd, a'r golled, a'r diymadferthedd, yn ormod, ac roedd angen rhywbeth arna i er mwyn dianc am dipyn neu mi fyddwn i wedi mynd o 'ngho.

Fe allwn i wneud â rym nawr. Dim jyst gwydraid – potel gyfan. Digon i anfon yr atgofion yna 'nôl i'r cysgodion eto.

Ond yna dwi'n cofio am yr addewid wnes i ddoe – i drio eto, a pheidio â dianc 'nôl at y botel mewn cyfnodau anodd.

'Cei di drio eto fory,' mae'r llais negatif, twyllodrus yn siarad. 'Cymra ddiod fach ac anghofia am hyn am heddiw.'

Dwi'n troi i gymryd cipolwg ar Mari, sy'n syllu'n syth o'i blaen, ei dwylo yn dal ei ffôn ar ei chôl, ac mae gen i gywilydd am weiddi arni. Ond yn fwy na hynny, dwi wedi blino. Wedi blino ar y llais yn fy nhemtio i yfed. Wedi blino ar yr yfed ei hun. Wedi blino ar geisio anwybyddu bwgan Chris Kedward sy'n cuddio yng nghysgodion fy meddwl. Dwi eisiau symud 'mlaen.

Yna, heb feddwl gormod am y peth, dwi'n dechrau siarad.

Mari

'Ro'n i'n adnabod Chris Kedward,' meddai Taliesin. 'Ro'n ni mewn ysgolion gwahanol, ond yn y sgowts gyda'n gilydd. Do'n ni ddim yn ffrindiau – a dweud y gwir doedd gen i ddim llawer o ffrindiau ar y pryd. Roedd Chris yn fachgen eitha bach am ei oed, ond yn llawn egni ac yn un oedd eisiau siarad gyda phawb. Fe fuodd ei dad farw'n ifanc, a doedd gan Chris ddim brodyr na chwiorydd, felly dim ond fe a'i fam oedd gartre – falle taw dyna pam oedd e mor awyddus i siarad gyda phobol eraill pan oedd e'n cael y cyfle. Doedd e ddim yn siarad Cymraeg, ond mi fydde fe'n taflu'r geiriau roedd e'n wybod mewn i frawddegau Saesneg drwy'r amser. Fydde fe'n siarad gyda fi bob wythnos. "Mab y *copper*" fydde fe'n fy ngalw i. "Sut *you doing*, mab y *copper*?", dyna shwd fydde fe'n fy nghyfarch i.'

Mae Taliesin yn oedi, fel petai'n ceisio meddwl sut i fynd 'mlaen.

'Do'n i ddim eisiau bod yn aelod o'r sgowts, ond roedd Nhad yn un mawr am y math yna o beth,' mae'n ailgychwyn ar ôl tipyn. '"Fe wneith e les i ti, cryfhau dy gymeriad di" – dyna fydde fe'n ddweud. Roedd yn rhaid i fi a Gwion, fy mrawd, fynd yno bob wythnos, ond mi fydde Gwion yn diflannu gyda'i ffrindie bron yn syth, a 'ngadael i ar fy mhen 'yn hunan.'

Mae Taliesin yn tawelu eto.

'Oedd Gareth Wall yn sgowtfeistr ar y pryd?' gofynnaf mewn llais tawel, yn teimlo 'mod i'n tarfu ar y stori. Mae Taliesin yn ochneidio.

'Oedd. "Brick", dyna fydde pawb yn ei alw e. "Brick Wall".
Roedd e'n ddyn mawr, cryf – wedi chwarae rygbi i lefel eitha
uchel yn yr ysgol, cyn cael ei anafu. Fe fydde fe'n dweud yn
aml y bydde fe wedi gallu chwarae i Gymru, oni bai am hynny
– pwy a ŵyr? Falle ei fod e'n dweud y gwir. Ond roedd ei
straeon e'n swyno gweddill y bechgyn. O'n nhw'n ei addoli fe,
ac roedd y rhieni'n meddwl y byd ohono fe hefyd.'

Ro'n i wedi darllen am hanes Gareth Wall wrth ymchwilio i
Ffeil Drosedd, ac wedi gweld iddo chwarae i dîm Cymru dan 17
lond llaw o weithiau cyn cael anaf drwg i'w ben-glin.

'Tripiau gwersylla oedd un o hoff bethau Brick – llogi bỳs a
mynd â ni mas i rywle anghysbell yng nghefn gwlad. Fydden
ni'n aros mewn pebyll, yn nofio ac yn pysgota, ac yn dysgu sut
i gynnau tanau. O'n i ffaelu diodde mynd ar y tripie 'ma, ond
fydde Nhad yn fy anfon i a Gwion ar bob un. Yn aml fyddwn
i mewn pabell ar fy mhen fy hun achos fydde well 'da Gwion
fynd i gysgu gydag un o'i ffrindie.'

Dwi wedi clywed digon o straeon sy'n dechrau fel hyn
i fod â syniad i ba gyfeiriad mae hi'n mynd, a dwi'n teimlo
fy stumog yn dechrau troi. Mae Taliesin yn clirio'i wddf cyn
cario 'mlaen.

'Ro'n i'n dair ar ddeg – falle pedair ar ddeg – ar y trip campio
arbennig yma, ac ro'n ni wedi mynd i wersylla rhywle ym
Mhowys. Alla i ddim cofio i ble'n union. Fydden ni'n gadael
Aberystwyth yn syth ar ôl ysgol ar y dydd Gwener, ac yn
dychwelyd eto ar brynhawn dydd Sul. Brick oedd yr unig
oedolyn. Dyna drefn ei dripiau fe bob tro, roedd ganddo
fe ffordd o gadw rheolaeth ar bawb. Beth bynnag, ar y nos
Sadwrn roedd pawb wedi bod yn eistedd o gwmpas y tân yn
rhannu straeon, a dyma Brick yn cyhoeddi ei bod hi'n amser
mynd i'r gwely. Roedd e wedi bod yn yfed – fydde fe'n dod

ag un o'r *hipflasks* metel yna ar bob trip, ac yn yfed ar bwys y tân. "Rhywbeth bach ar gyfer y boen yn y goes 'ma" fydde fe'n ddweud.'

Mae car sydd wedi bod yn gyrru'n agos y tu ôl i ni ers sawl munud yn refio'i injan ac yn ein pasio ni. Sylwaf ar sawl un arall yn y drych tu ôl, yn aros i basio a ninnau'n symud mor araf.

'Hanner awr ar ôl i bawb fynd i'w pebyll,' mae Talieisn yn ailgydio yn ei stori, 'a finnau ar fy mhen fy hun eto, dyma rywun yn agor drws fy mhabell, a fflachlamp yn disgleirio i'm llygaid. "Taliesin?" llais Brick. "Ti'n OK mewn fan'na?". Wnes i ymateb 'mod i, ond symudodd Brick ddim o gwbwl. "Rhaid bod ti'n unig ar ben dy hunan," meddai wedyn. Wnes i ddim ateb, a dyma fe'n dweud "Beth am i ti ddod mewn i 'mhabell i? Gei di ddiod bach o'r wisgi 'ma, i dwymo ti lan."'

'*Oh my god*, Tal,' sibrydaf.

'Wnes i ddweud "Dim diolch", ond adawodd e ddim, roedd e'n aros yna'n syllu arna i. Yna fe ddwedodd e, "Der gyda fi. Nawr!" Rhewais i. Do'n i ddim yn gwbod beth i neud. Yna, tu allan y babell, fe glywes i lais Chris Kedward yn gofyn, "*Everything* iawn, mab y *copper*?" Trodd Brick yn syth a phwyntio ei fflachlamp tuag at agoriad y babell. "Kedward," medde fe. "Be ti'n neud lan?" Wnes i glywed Chris yn esbonio ei fod e angen y tŷ bach, ac wedyn tawelwch wrth i Brick syllu arno fe am dipyn, cyn dweud, "Dere gyda fi, Kedward, ma gyda fi rywbeth i ddangos ti. MacLeavy – cer nôl i gysgu." Glywais i nhw'n symud o'na, a chaeais i ddrws y babell eto, ond wnes i ddim cysgu o gwbwl y noson honno.'

'Ti'n meddwl bod Wall wedi meddwl dwywaith ar ôl i Chris dy alw di'n "mab y *copper*"? I hynny ei atgoffa fo pwy oedd dy dad?' gofynnaf, yn methu credu'r hyn dwi'n ei glywed.

'Falle. Pwy a ŵyr? Roedd fy nhad wrth ei fodd gyda Brick beth bynnag, dwi ddim yn gwybod a fydde fe wedi credu gair drwg yn ei erbyn e. Dwi ddim yn siŵr a fydde unrhyw un tase hi wedi dod i hynny.'

Dwi'n oedi cyn gofyn y cwestiwn nesaf, am 'mod i ddim wir eisiau clywed yr ateb.

'Be ddigwyddodd wedyn?'

Mae Taliesin yn clirio ei wddf eto.

'Dim llawer. Roedd Chris yn dawel y bore wedyn, ond roedd Brick yn union fel oedd e bob dydd – yn tynnu coes ac yn chwerthin wrth i ni dynnu ein pebyll i lawr a phacio popeth yn barod am y siwrne adre. Ond doedd Chris byth yr un peth ar ôl hynny. Fe wnaeth e newid o fod yn foi cymdeithasol, llawn hwyl i fod yn fewnblyg iawn, yn colli ei dymer yn hawdd.'

'Mi wnaeth o gario 'mlaen i fynd i'r sgowts?' gofynnaf yn anghrediniol.

Mae Taliesin yn codi ei ysgwyddau.

'Fyse Nhad ddim wedi gadael i fi roi'r gorau i fynd, a dwi'n cymryd bod mam Chris yn teimlo'r un peth. Ac fel ddwedes i, roedd y rhieni i gyd yn meddwl y byd o Brick, dwi wir ddim yn gwbod a fydden nhw wedi credu gair un plentyn yn ei erbyn e.'

'Ti'n meddwl mai dyna'r unig dro 'naeth hynny ddigwydd?'

Mae Taliesin yn dawel am funud, yna'n ochneidio.

'Dwi ddim yn gwbod, ond dwi'n amau hynny. Mae gen i gof o Brick yn talu tipyn o sylw i Chris wedi hynny, ond pwy a ŵyr? Ro'n i'n gwneud yn siŵr 'mod i'n cadw bant oddi wrtho fe, ond wnaeth e fy anwybyddu i'n llwyr o hynny 'mlaen. Flynyddoedd wedyn… wel, ti'n gwbod beth ddigwyddodd.'

Mae'r ymchwil wnes i i achos llofruddiaeth Gareth Wall

gan Chris Kedward yn edrych yn wahanol iawn yn y golau newydd yma. Kedward yn dwyn car cymydog un nos Iau, a gyrru i'r neuadd gymunedol lle fyddai'r sgowts yn cynnal sesiynau wythnosol. Fe arhosodd o yno nes bod y sesiwn wedi gorffen a phawb yn gadael, cyn gyrru'r car yn syth at Gareth Wall a'i daro mor galed nes iddo gael ei daflu i'r awyr, yna mi ddringodd o'r car, yn gwbl ddiemosiwn, a gwthio cyllell gegin i frest Wall dair gwaith, o flaen y rhieni a'r plant oedd yn dal yn y maes parcio. Wedi hynny llusgodd Kedward gorff Wall i'r car a'i luchio i'r sedd gefn, ac yn ôl y rhieni oedd yn gwylio'r cwbwl yn gegrwth, mi waeddodd at y plant, "You're diogel *now. You're free.*" Yna, fe neidiodd i'r car a gyrru ffwrdd gydag un o'r rhieni yn ei ddilyn, ond fe'i collwyd yn fuan wrth iddo yrru drwy oleuadau coch ac i lawr lôn unffordd y ffordd anghywir. Cafwyd hyd i'r car ar lôn fferm yn hwyrach y noson honno, gyda chorff Wall yn y sedd gefn a Kedward yn y sedd flaen. Roedd wedi agor ei addyrnau a gwaedu i farwolaeth. Mae'n stumog i'n troi wrth gofio'r adroddiadau papur newydd yn clodfori Wall – 'arwr ein cymuned' meddai un – tra'n diawlio Kedward ar yr un pryd.

'Pan fuodd Brick farw, dyna pryd wnaeth e 'nharo i – cymaint y bu i Chris Kedward ddiodde dros y blynyddoedd, a'r cwbwl oherwydd ei fod e wedi dod i weld os o'n i'n iawn. I feddwl fod pobol yn ei alw'n bob math o enwau – Nhad yn un o'r gwaetha am hynny – y bachgen yna wnaeth fy achub i. Bu'n rhaid i fam Chris werthu ei chartre a symud bant, cymaint oedd y casineb tuag ati a'r bygythiadau. Y noson yna – y noson wnaeth Chris ladd Brick – dyna'r noson gynta i mi feddwi. I anfon fy hun i ryw fath o ebargofiant, i anghofio.'

Mae Taliesin yn edrych yn nrych y car, ac yn rhoi arwydd ei fod yn troi i'r chwith. Mae'n tynnu mewn i gilfan aros wrth ymyl y ffordd, gan adael i res o geir a oedd yn ein dilyn wibio heibio. Mae Taliesin yn diffodd yr injan, yn rhoi ei ben ar yr olwyn lywio ac yn dechrau beichio crio.

Taliesin

Mae gen i gywilydd bod Mari yn fy ngweld i yn y fath gyflwr, ond unwaith mae'r dagrau'n dechrau does dim stopio nhw. Dwi erioed wedi dweud hanes Chris wrth unrhyw un o'r blaen, nac wedi ceisio clirio ei enw chwaith, am fy 'mod i'n siŵr na fyddai neb yn fy nghredu i. Yn lle hynny, fe wnes i addewid i Chris, i geisio atal unrhyw beth tebyg rhag digwydd eto – i amddiffyn cyfiawnder a chyfraith. Mae pawb yn meddwl taw oherwydd Nhad a Taid wnes i ymuno â'r heddlu, ond y gwir yw taw ymuno er eu gwaetha nhw wnes i.

Teimlaf fysedd Mari'n mwytho fy ngwallt, a thipyn wrth dipyn mae hynny'n help i roi stop ar y dagrau. Mae'r awydd am ddiod yno o hyd, ond mae'n awydd alla i ei reoli am y tro. Mae'r llais bach yng nghefn fy meddwl wedi tawelu o'r diwedd.

'Sori,' meddaf, wrth godi fy mhen oddi ar yr olwyn lywio. Dwi'n amau fod gen i farc coch ar fy nhalcen lle fues i'n pwyso arni.

'Hei, Tal – sbia arna i,' meddai. Dwi'n troi ati, ei hwyneb yn aneglur braidd gan fod fy llygaid yn dal i ddyfrio. 'Paid ti byth ag ymddiheuro am hyn. Wnest ti'm byd o'i le. Ti'n dallt?'

Dwi'n nodio fy mhen yn ufudd.

'Wyt ti wedi deud hyn wrth unrhyw un o'r blaen?' gofynna.

Dwi'n ysgwyd fy mhen y tro yma.

'Ti 'di cadw'r gyfrinach yr holl flynyddoedd yma? O, Tal bach...'

Mae Mari'n ceisio fy nghofleidio, ond mae'r ddau ohonon ni'n dal i wisgo ein gwregysau diogelwch, sy'n gwneud hynny braidd yn anodd.

'Gwranda,' meddai, wrth i ni ddatglymu. 'Awn ni 'nôl i Aber, ia? Ma 'na gyfarfod Narcotics Anhysbys arall mewn diwrnod neu ddau, allwn ni fynd i hwnnw'n iawn. Dwyt ti ddim mewn cyflwr i...'

'Na,' atebaf yn bendant. 'Na, dwi'n iawn. Ma hyn yn bwysig.'

'Ia, ond, Tal...'

'Wir, dwi'n iawn nawr, Mari. Ond diolch.'

Wedi tynnu hances o fy mhoced a sychu fy llygaid a 'nhrwyn, dwi'n ailddechrau'r car, ac ar ôl gadael i sawl car basio rwy'n symud 'nôl allan i'r ffordd, gan ailafael yn y siwrnai i Gaernarfon.

Mae ffôn Mari'n gwneud sŵn ding-io, ond dydy hi ddim yn talu unrhyw sylw. Mae'n syllu allan drwy'r ffenest, fel petai'n meddwl yn ddwys. Dwi ddim yn siŵr beth ddylwn i ddweud, felly dwi'n aros yn dawel ac yn canolbwyntio ar y ffordd o'm blaen.

'Tal... yli, plis paid camddallt, OK? Dim ond syniad ydy o. Ond... wel, petaet ti isio, mi allwn ni sôn am hyn – y cefndir, hynny yw – ar y podlediad?'

Dwi'n ystwytho'n syth, fel petai sioc drydanol wedi mynd trwydda i, ac mae'r car yn gwyro'n sydyn i'r dde cyn i mi ei gael o dan reolaeth eto. Fe ddylwn i fod wedi cadw'n dawel, meddyliaf. Alla i ddim dychmygu rhannu'r hyn wnes i gydag unrhyw un arall, heb sôn am ei rannu gyda'r byd. Mae ffôn Mari yn gwneud sŵn ding-io eto.

'Does dim rhaid i ti, wrth gwrs,' mae Mari'n parhau, yn amlwg wedi sylwi ar fy ymateb. 'Dwi'n addo i ti, ar fy llw, na dduda i'r un gair wrth neb, os taw dyna wyt ti isio, paid â phoeni am hynna. Ond... wel, ella y bysa fo'n beth teg i neud, er cyfiawnder â Chris Kedward. A hefyd i adael i bobol wbod sut ddyn oedd Gareth Wall.'

Ding arall.

'Falle. Wna' i feddwl am y peth,' meddaf, yn awyddus i beidio â thrafod hyn ddim pellach cyn i mi gael cyfle i'w ystyried yn iawn. Mae'r syniad yn codi arswyd arna i – ond beth fyddai hynny o gymharu â'r hyn roedd Chris wedi'i ddioddef? Oes arna i ddyled iddo fe, am fy achub i yr holl flynyddoedd yn ôl?

'OK, Tal. Wrth gwrs. Beth bynnag wyt ti'n penderfynu sy orau, dyna wnawn ni,' mae Mari yn ateb. Mae'r syniad yna o 'ni', o wneud penderfyniadau ar y cyd, yn gwneud i fy nghalon guro ychydig yn gyflymach. Mae sawl munud o dawelwch cyffyrddus yn pasio wrth i ni fynd trwy Fachynlleth, ond mae'n rhaid fod hyn wedi diflasu Mari gan iddi dynnu pâr o glustffonau o'i phoced a'u plygio mewn i'w ffôn. Mae'n edrych fel petai'n gwylio rhywbeth ar y sgrin yn ofalus, ac yna mae ei llaw yn chwipio o'i chôl i'w cheg.

'Taliesin,' meddai Mari'n sydyn, wrth rwygo'r gwifrau o'i chlustiau. 'Tro 'nôl am Aber.'

'Na, wir, dwi'n iawn, ac ma hyn –' atebaf, ond mae Mari'n torri ar fy nhraws.

'Na, ti'm yn dallt. Ma'n rhaid i ni droi'n ôl rŵan.'

Dwi'n tynnu fy llygaid oddi ar y ffordd ac yn cymryd cipolwg arni yn sedd y teithiwr yn astudio'i ffôn yn ofalus.

'Pam?'

'Y llofrudd – mae o wedi lladd eto. Mae o wedi lladd Eric Esiason!'

E

Ges i'm chwinc o gwsg neithiwr. Fydda i byth yn gwneud ar ôl gweithredu. Mae'r adrenalin yn llifo trwy fy ngwythiennau i fel magma poeth am oriau, a'r delweddau yn ffres yn fy meddwl, yn aros amdana i os ydw i'n llwyddo i gau fy llygaid. Wnes i orwedd yn y gwely yn ail-fyw popeth drosodd a throsodd.

Fe alla i weld Eric nawr, yn eistedd nesa i mi yn y car, ei law yn codi i'w dalcen wrth i'r cyffur yn y coffi ddechrau gwneud ei waith. Fe syrthiodd e'n ddiymadferth mewn llai na munud, a chael a chael oedd hi i mi afael yn ei gwpan cyn iddo lithro o'i afael a thywallt ei gynnwys dros lawr y car. Roedd yn rhaid i mi weithio'n gyflym. Ro'n i wedi dewis y cyffur hwn yn arbennig, gan ei fod yn gweithio'n sydyn ond yn colli ei effaith yn fuan iawn wedyn. Roedd yn rhan bwysig o'r cynllun fod Eric ar ddi-hun.

Taliesin

Dwi'n troi i edrych ar Mari yn hirach nag y dylwn i, o ystyried 'mod i'n gyrru.

'Pardwn?' gofynnaf.

'Y llofrudd. Mae o wedi lladd eto. Mae o wedi lladd Eric Esiason,' meddai'n bwyllog, fel petai'n ceisio esbonio rhywbeth syml i blentyn bach.

'Ond… sut wyt ti'n gwbod? Gest ti ebost arall?'

'Na – wel, dwi'm yn meddwl. Dwi'm yn gwbod. Dwi'm 'di edrach,' mae Mari'n ateb, ei geiriau'n cael eu hynganu yn stacato, gyda bylchau rhwng y brawddegau.

'Wel sut wyt ti'n gwybod,'te?'

Mae'r ateb mae'n ei roi yn fferru fy ngwaed.

'Achos mae o wedi dynwared rhywun arall y tro hwn. Andreas Rubio Ortega.'

E

Llusgo corff Eric allan o'r car a'i osod yn y safle cywir oedd darn anoddaf y broses. Dwi'n gwybod o brofiad fod corff diymadferth yn beth lletchwith i'w symud, ond roedd Eric yn drymach nag yr oeddwn i'n ei ddisgwyl hyd yn oed.

Roeddwn i wedi dewis y lleoliad yn ofalus – llecyn parcio bach cysgodol, gyda ffens haearn yng nghysgod y coed sy'n ei amgylchynu. Roedd y ffens yn edrych yn hen ac yn rhydlyd, ond roeddwn i wedi sicrhau o flaen llaw ei bod hi'n ddigon cadarn i beth roeddwn i ei angen.

Fe gymrodd sawl munud o stryffaglu i symud corff Eric a'i drefnu fel roeddwn i ei eisiau – ar ei bengliniau, ei gefn yn erbyn y ffens a'i freichiau ar led, fel petai'n siarad gyda Duw, neu'n dathlu sgorio gôl o flaen torf o gefnogwyr. Clymais ei goesau, ei gefn a'i freichiau at y ffens nes 'mod i'n siŵr na fyddai modd iddo symud, a dychwelyd i'r car i gasglu gweddill yr offer.

Erbyn i mi gyrraedd 'nôl at Eric roedd wedi dechrau dadebru, ei ben yn codi mymryn a synau gwan yn dechrau dod o'i geg. Anwybyddais hyn yn llwyr, a chanolbwyntio ar osod y treipod.

Taliesin

'Ortega?' ailadroddaf, yn y gobaith 'mod i wedi camglywed.

'Ortega,' mae Mari'n cadarnhau mewn llais tawel. Gwelaf lecyn wrth ochr y ffordd, rwy'n troi i mewn iddo ac yn parcio'r car yn gyflym.

Andreas Rubio Ortega. 'Las Hacha'.

Cafodd ei eni a'i fagu yn un o drefydd sianti tlotaf Dinas Mecsico yn 1971, yn un o chwech o blant, ac roedd ei fywyd cynnar yn llawn tlodi, anobaith a thrais. Fel nifer o'i gyfoedion, fe ymunodd gyda'r Cartel de Sinaloa mewn ymdrech i ddianc y bywyd truenus yma, un o'r cartels cyffuriau hollbwerus oedd yn rheoli rhannau helaeth o wlad Mecsico.

Ar ddechrau'r nawdegau, cychwynnodd cyfnod o wrthdaro gwaedlyd rhwng y cartels wrth iddynt frwydro am reolaeth dros y llwybrau cludo cyffuriau o Dde America i UDA. Daeth Ortega i sylw rhai o gadfridogion y cartel fel *asesino* – asasin – hynod o effeithiol a diegwyddor, yn barod i ladd unrhyw un ar orchymyn y cartel. Mae'n amhosib cael ffigwr dibynadwy am y nifer o bobol laddodd Ortega, ond mae'n ddigon rhesymol i gredu iddo gymryd rhan mewn dwsinau, os nad cannoedd, o lofruddiaethau.

Yna, wrth iddo yrru mewn car gyda thri aelod arall o gartel Sinaloa yn Guadalajara un diwrnod, ymosodwyd ar Ortega gan griw o gartel arall. Lladdwyd y tri chyfaill ond llwyddodd Ortega i ddianc heb gael ei anafu o gwbl, ac yn dilyn hynny mae'n debyg iddo gael tröedigaeth. Fe benderfynodd ei fod wedi cael ei achub gan law Duw, a bod hwnnw eisiau iddo gefnu ar ei fywyd annuwiol a dilyn llwybr newydd. Pwrpas ei fywyd o hynny ymlaen, credai Ortega, oedd i ymladd fel milwr sanctaidd yn erbyn y cartels ac i waredu Mecsico, ac yna'r byd cyfan, o'r drwg yma unwaith ac am byth.

Dros y mis nesaf aeth Ortega ati i gyflawni ei ddyletswydd yn yr unig ffordd y gwyddai – drwy hel, herwgipio a llofruddio aelodau o'r cartels gwahanol. Ar y cychwyn roedd y llofruddiaethau yn rhai *asesino* go iawn – fe fyddai Ortega yn herwgipio ei sglyfaeth, mynd ag e i fan anghysbell a'i saethu yng nghefn ei ben. Ond, yn fuan iawn, fe sylweddolodd Ortega nad oedd neb yn talu sylw i ambell gorff marw pan fo'r wlad gyfan yn llawn marwolaeth a thrais, ac roedd hyn yn ei boeni'n arw, gan fod Ortega yn awyddus i ddal sylw'r cyhoedd er mwyn rhannu'r neges a gafodd gan Dduw.

Felly, y tro nesaf yr herwgipiodd ei ysglyfaeth, wnaeth Ortega ddim ei saethu'n syth. Yn hytrach, cafodd afael ar gamera fideo, a gorfodi'r sawl oedd ar fin cael ei ladd i fynd ar ei bengliniau, ac i ofyn am faddeuant Duw wrth ddarllen yn uchel o'r Beibl. Unwaith y byddai'r darlleniad wedi gorffen, a'r darllenwr yn gobeithio derbyn maddeuant, byddai Ortega'n ymddangos yn y cefndir gyda bwyell ac yn ei ddienyddio, cyn dal y pen i'r camera. Anfonwyd y fideos hyn at orsafeodd teledu ledled Mecsico er mwyn iddynt allu rhannu tynged unrhyw un fyddai'n meiddio ochri â'r cartels yn erbyn Duw. Daeth y negeseuon gyda nodyn wedi ei arwyddo gan 'Las Hacha' – Y Fwyell.

Cyn iddo gael ei ddal, ei arteithio a'i ladd gan ei gyn-gyd-aelodau o Gartel Sinaloa, fe lofruddiodd Ortega o leiaf ddwsin o bobol. Yn eu mysg roedd dynion a menywod, yr hen a'r ifanc – a'r mwyafrif wedi eu lladd gan ei fwyell, a'u marwolaethau wedi eu recordio ar gamera, a'u rhannu gyda'r byd.

E

Erbyn i mi osod y ffôn ar y treipod roedd Eric wedi agor ei lygaid, ond yn amlwg yn dal i deimlo effaith y cyffur gan ei fod yn mwmian yn aneglur. Roedd hynny'n rhwystredig. Ro'n i angen iddo siarad yn glir, i bawb allu deall yr hyn roedd e'n ei ddweud ar gamera. Mi es i i nôl potel o'r car a thaflu'r dŵr i'w wyneb, ac fe wnaeth hynny ei ddadebru dipyn.

'Be... be ti'n neud?' gofynnodd.

'Bydd dawel a gwranda,' dywedais gan ddal darn o bapur o'i flaen. 'Dwi ishe i ti edrych i gamera'r ffôn, dweud dy enw ac yna darllen beth sydd wedi'i sgrifennu ar y papur yma. Ti'n deall?'

'Ond... na, na dwi ddim yn deall. Pam ti'n neud hyn?' atebodd, yn methu prosesu'r sefyllfa. Ochneidiais, a rhoi clatsien galed iddo. Gwingodd ond daliodd yr hualau plastig ef yn dynn i'r ffens haearn.

'Edrycha ar y camera. Dweda dy enw. Darllena hwn. Deall?'

'Ond pam...?' dechreuodd Eric ofyn eto, cyn i mi roi clatsien arall iddo. Roedd effaith y cyffur bron â diflannu erbyn hyn, a'i lygaid yn dechrau ffocysu arna i.

'Na wnaf, wna'i ddim, dim nes dy fod ti'n esbonio be ddiawl sy'n mynd 'mlân. A gad fi'n rhydd y funud 'ma – dwi ddim yn gwbod be ti'n feddwl ti'n neud, ond paid ti meiddio 'mwrw i eto.' Roedd ei hyder yn dychwelyd nawr. Roedd yn rhaid i fi gael gafael ar y sefyllfa.

'Edrycha ar y camera. Dweda dy enw. Darllena'r geiriau ar y papur. Neu gei di hwn.'

Lledodd ei lygaid wrth weld y fwyell, a hyd yn oed yn y golau gwan ro'n i'n gallu gweld ei wyneb yn gwelwi.

Taliesin

'Mae e wedi recordio'r cwbwl?' gofynnaf.

'Do, y cwbwl,' ateba Mari. 'Mae o dros y rhwydweithiau cymdeithasol, a ma'r wasg wedi cael gafael ar y stori hefyd. 'Dan nhw ddim yn rhannu'r fideo wrth gwrs, ond dydy o ddim yn anodd cael gafael arno.'

'Odi e gyda ti? Alla i weld?'

'Ti'n siŵr, Tal?' mae Mari'n ateb. 'Mae o'n afiach, wnes i ei ddiffodd o cyn y diwadd.'

Na, dwi ddim yn siŵr o gwbwl.

'Ydw, dwi'n siŵr,' atebaf.

Mae Mari'n pasio ei ffôn, a dwi'n gwasgu'r botwm ar y sgrin i ddechrau chwarae'r fideo. Mae Mari'n troi i ffwrdd, ac yn rhoi ei bysedd yn ei chlustiau.

Mae wyneb Eric Esiason yn ymddangos ar y sgrin, wedi ei oleuo gan y camera. Mae'n crynu, ac mae ganddo farciau coch ar ei foch fel petai wedi cael ei guro sawl gwaith. Mae'n dechrau siarad mewn llais crynedig.

'Fy enw i yw Eric Esiason.' Mae'n stopio i glirio ei wddf, yna'n craffu ar rywbeth o dan lens y camera. 'Yr Arglwydd yw fy Mugail;' meddai'n araf, 'ni bydd eisiau arnaf. Efe a wna i mi orwedd mewn porfeydd gwelltog: efe a'm tywys gerllaw y dyfroedd tawel…'

E

Roedd y cwbwl drosodd yn gyflym, o ystyried pa mor hir y
bu'r gwaith paratoi.

Wnes i dynnu fy nillad gwaedlyd a'u stwffio nhw mewn
sach. Eu llosgi nhw fyddai orau, ond fe fyddai'n ormod o risg
y gallwn i ddenu'r math anghywir o sylw. Wna' i gael gwared
arnyn nhw heddiw. Wnes i sychu'r fwyell i wneud yn siŵr nad
oedd dim olion bysedd arni a'i gadael ar y llawr, ar bwys pen
Eric. Wnes i lan-lwytho'r fideo o'r ffôn symudol rhad i nifer
o wefannau a rhwydweithiau cymdeithasol, a'i anfon at sawl
papur newydd, cyn chwalu'r ffôn a'i roi yn y bag gyda'r dillad
gwaedlyd. Yna, fe ddringais i'r car, gyrru adre, ac eistedd ar y
soffa gydag Alaw am dipyn.

Fydd dim modd anwybyddu hyn.

Taliesin

Dwi'n stopio'r fideo cyn y diwedd. Does gen i ddim awydd gwylio'r hyn dwi'n gwybod sy'n mynd i ddigwydd.

Mae Mari a finnau'n eistedd yn dawel am amser hir ac un peth sydd ar fy meddwl. Rydyn ni'n gwybod yn bendant nad Eric Esiason yw'r llofrudd, ac mae hynny'n golygu nad oes dim syniad gyda ni pwy sy'n gyfrifol am y marwolaethau hyn.

Yn araf bach, dwi'n ymwybodol fod enw Geraint Ellis yn llithro'n llechwraidd i fyd fy amheuon unwaith eto.

Siwan

'Ma'n nhw 'di ffeindio fe!'

Ma'r waedd yn torri trwy'r swyddfa swnllyd fel chwiban mewn gêm bêl-droed. Ma hi'n tawelu am eiliad, cyn ffrwydro'n swnllyd eto.

'PAWB YN DAWEL!' ma Saunders yn bloeddio, ac ma hyd yn oed y detectifs mwya profiadol yn rhewi yn yr unfan. 'Marshall – lle yn union oedd e?'

Ma Emlyn Marshall, y ffôn dal yn ei law, yn troi i wynebu Saunders.

'Llecyn parcio bach ar gyrion Pontarfynach, ma'r manylion 'da fi fan hyn. Menyw yn cerdded ei chi ddaeth o hyd iddo fe ryw hanner awr 'nôl. Ma'r bois iwnifform yna nawr, wrthi'n cadarnhau beth welon ni ar ddiwedd y fideo. Mae ei gar e yna hefyd.'

Ers i'r fideo ymddangos ar y we yn hwyr neithiwr ry'n ni wedi bod yn gweithio fel lladd nadroedd i ddod o hyd i leoliad y llofruddiaeth. Y rhagdybiaeth oedd ei fod wedi digwydd yn ardal Aberystwyth gan fod yr un gafodd ei ladd, Eric Esiason, wedi ffarwelio â'i wraig yn gynharach y noson honno, gan addo y byddai 'nôl cyn iddi fynd i'r gwely. Ma hi bellach yn Ysbyty Bronglais yn diodde o sioc, ac ry'n ni wedi bod wrthi drwy'r nos yn edrych trwy'r fideo dro ar ôl tro, yn chwilio am gliwiau allai ein helpu ni i adnabod y lleoliad, ond heb lwc. Ry'n ni hefyd wedi bod yn ceisio dod o hyd i fanylion ffôn symudol Esiason, er mwyn tracio ei symudiadau ola, ond ma delio gyda'r cwmnïau ffôn wastad yn broses hir a chymhleth. Yn y diwedd, y cerddwyr cŵn neu'r rhedwyr sy'n dod o hyd i'r cyrff sydd wedi cael eu gadael yn yr awyr agored.

'Reit, Mathews, cer â Marshall gyda ti ac ewch draw 'na nawr, wna' i wneud yn siŵr fod y criw fforensig ar y ffordd hefyd. Greening – caria di 'mlaen i geisio cael synnwyr gan y cwmni ffôn yna. Roedd Esiason ar y ffordd i gwrdd â rhywun, felly ry'n ni angen rhestr o'r galwadau a'r negeseuon diweddara oddi ar ei ffôn, a hefyd manylion sut a phryd wnaeth e gyrraedd Pontarfynach.'

Cyn i Saunders orffen siarad dwi ar fy nhraed ac yn gwisgo fy nghot, yn barod i fynd. Er bod manylion yr llofruddiaeth hon yn gwbwl wahanol i'r corff gafodd ei arteithio a'i fygu yng Nghwm Rheidol, dwi'n siŵr fod yna gysylltiad rhwng y ddau achos. Ma'r ddau mor ddramatig, yn sefyll allan o ran y lefel o drais a chreulondeb, fel petai'r llofrudd yn ceisio gwneud rhyw fath o ddatganiad.

Ma Emlyn Marshall yn aros amdana i wrth y drws, ac ry'n ni'n cerdded allan i'r maes parcio gyda'n gilydd. Ma Marshall yn dditectif da, dibynadwy heb os, ond dwi'n amau'n fawr y bydd angen rhywun sy'n meddwl ymhell tu allan i'r bocs i ddatrys yr achos yma.

O, petai hi ond yn bosib i Taliesin fod yma nawr!

Mari

Ar y siwrna 'nôl i Aberystwyth, dwi'n troi'r radio 'mlaen ac yn tiwnio mewn i Radio Cymru mewn pryd i ddal y bwletin newyddion. Y fideo o lofruddiaeth Eric Esiason ydy'r brif stori, ond yn amlwg does gan y newyddiadurwr ddim i'w ddweud ond cadarnhau bod Esiason, yn ôl yr wybodaeth ar y we, yn byw yn Aberystwyth ac yn gweithio yn y maes trin dibyniaeth.

Gyda dwylo crynedig dwi'n agor cyfrif ebost *Ffeil Drosedd*, ac yno'n aros amdana i mae'r neges ro'n i'n ei disgwyl.

Mae hyn i gyd i ti. E x

Dwi'n darllen y neges i Taliesin wrth iddo yrru, ond dim ond nodio ei ben mae o.

'Mae'n bryd i ni fynd at yr heddlu dwi'n meddwl, Tal.'

Mae o'n llonydd am dipyn, cyn nodio ei ben eto.

'OK. Ond fyddan nhw yn ei chanol hi nawr, yn ceisio cael trefn ar y lleoliad, ac yn gwneud y gwaith fforensig i gyd. Wna' i fynd â ti 'nôl i dy fflat ac wedyn mae gen i un peth bach i wneud, ond wnewn ni gysylltu gyda nhw yn hwyrach pnawn 'ma. Iawn?'

Dwi ar fin gofyn beth yw'r peth bach sydd ganddo fo i'w wneud, ond mae 'na rywbeth yn ei lais sy'n gwneud i mi deimlo nad ydy o am rannu hynny ar hyn o bryd. Falle ei fod o'n teimlo iddo rannu digon am un diwrnod.

Pum munud yn ddiweddarach rydan ni tu allan i'r fflat eto.

Cyn i mi ddringo o'r car dwi'n troi ac yn rhoi cusan fach i Taliesin ar ei foch, ac yn gafael yn dynn yn ei law.

'Gobeithio bo ti'n OK – ti'n gwbod, ar ôl be ddudust ti am Chris Kedward. Doedd hynny ddim yn hawdd. Falle nad dyma'r amsar… ond os wyt ti isio siarad rhywbryd eto, dwi yma i ti, a dwi'n addo neith o'm mynd ddim pellach.'

Mae'r gwrid yn lledaenu dros ei foch lle plennais y gusan, ac wrth i mi ddringo o'r car dwi'n ceisio peidio â dangos 'mod i wedi sylwi bod wyneb Taliesin yn fflamgoch.

Siwan

Dwi ddim yn gwbod sut gafodd y wasg wybod am leoliad corff Eric Esiason, ond ma'r newyddiadurwr cyntaf yn cyrraedd Pontarfynach funudau ar ôl i Marshall a finne ddringo o'r car. Ro'n i'n gobeithio cael bach o lonydd ar y siwrnai i geisio edrych am gysylltiadau rhwng y llofruddiaeth a marwolaeth Reg Walters, ond fe dreuliodd Marshall yr holl amser yn siarad am ei deulu, a sut ma'i fab hyna yn gobeithio astudio Ffrangeg ym Mhrifysgol Bryste. Do'n i ddim yn gwrando'n iawn, ond yn gwneud ambell i sŵn pan o'n i'n synhwyro fod Marshall yn aros am ymateb.

Ar ôl dringo o dan y tâp plastig sy'n gwarchod y *crime scene* dwi'n cael gafael ar yr iwnifform agosa, PC profiadol o'r enw Gaynor Rees, ac yn ei chyfeirio hi at y newyddiadurwr sy'n hel ei offer o'i gar.

'Y cynta ond ddim y diwetha – ma hon yn mynd i fod yn stori fawr yn genedlaethol, ma hi ar y we yn barod wrth gwrs. Gwna'n siŵr eu bod nhw'n cadw'n ddigon pell bant a ddim yn ymyrryd â neb – a phaid â dweud gair wrthyn nhw. Iawn?'

Ma PC Rees yn nodio'i phen ac yn cerdded yn bwrpasol tuag at y newyddiadurwr, sy'n dod i gwrdd â hi erbyn hyn.

''Nôl â chi plis, syr, fydd rhaid i chi symud 'nôl,' dwi'n ei chlywed hi'n ei ddweud mewn llais awdurdodol, cyn i'r cwestiwn cynta gael ei ofyn. 'A fydd rhaid i chi shiffto'r car 'na, allwch chi ddim ei adel e fynna.' Ma'r newyddiadurwr yn dechre dadlau, a dwi'n troi fy nghefn gan adael i PC Rees ddelio â'r sefyllfa.

'Reit 'te – ewn ni i weld be sy gyda ni?' gofynnaf i Marshall, ac ma fe'n ymestyn ei fraich o'i flaen i awgrymu y dylwn i arwain y ffordd.

Ma'r llecyn lle ddigwyddodd y llofruddiaeth yn un tawel, preifet, sydd wedi ei gysgodi bron yn llwyr rhag yr hewl gan glawdd tal, trwchus. Yn ddigon mawr i dri neu bedwar car ar y mwya, ma fe wedi ei amgylchynu gan ffens haearn, gadarn yr olwg sy'n diflannu mewn mannau yn nhrwch dail y cloddiau sy'n gwthio eu ffordd drwyddo o'r goedwig tu hwnt. Ma 'na Volkswagen Polo llwyd tywyll wedi ei barcio yn y gornel bella. O dan draed, ma'r tarmac wedi tyllu a chracio ar ôl sawl blwyddyn o ddefnydd gan geir yn cyrraedd ac yn gadael. Ma stribed arall o dâp heddlu yn gwarchod y ffordd i mewn i'r llecyn bach, a thri iwnifform yn sefyll o'i flaen.

'Shwd ma pethe'n edrych?' gofynnaf. Ma un o'r tri yn amlwg mewn awdurdod, gan fod y ddau arall yn edrych tuag ato, yn disgwyl iddo ateb. Dwi'n ei adnabod e – Sarjant Ali Rahman, plismon dibynadwy, o Wolverhampton yn wreiddiol, ac yn falch iawn o'i dras Bangladeshi. Ma fe'n anadlu allan, yn ysgwyd ei ben ac yn mwytho ei fwstash gyda'i fys a'i fawd.

'Pymtheg mlynedd yn y ffôrs, a 'riod 'di gweld unrhyw beth tebyg,' meddai, a'i acen Canolbarth Lloegr yn amlwg. Dwi'n cofio am ei arfer o siarad yn hynod o ara, pob sill yn cael ei ymestyn, sy'n arbennig o rwystredig heddiw. 'Ond o leia ma popeth dal 'ma – fydde llwynog wedi gallu mynd â'r pen yn ddigon hawdd, a wedyn bydde fe'n ddiawl o jobyn i ffindio fe.'

Dwi'n ceisio peidio â dychmygu'r pen yn y fideo, pen Eric Esiason, yn cael ei lusgo gan anifail drwy'r mieri a'r drain.

'Wel, ma hynny'n rhwbeth,' dywedaf yn wan. 'Neb wedi cyffwrdd ag unrhyw beth, dwi'n cymryd?'

'Na,' daw'r ateb gan Sarjant Rahman. 'Doedd dim rheswm i ni fynd yn rhy agos, a ddwedodd y fenyw ffeindiodd y corff ei bod hi wedi cadw'n ddigon pell. Druan â hi, gafodd hi dipyn o sioc. Ond fe wnaethon ni tsheco rhif y Polo yna, a char Eric Esiason yw e.'

'OK, diolch,' atebaf. 'Fydd y criw fforensig yma yn y munud, ma pawb arall i aros yn ddigon pell bant, iawn? Ma PC Rees yn cadw trefn ar aelodau'r wasg, ond falle all un 'noch chi fynd i'w helpu hi os bydd angen.' Dwi'n oedi, yn ceisio meddwl a oes unrhyw drefniadau arall angen eu gwneud, yn ymwybodol 'mod i'n osgoi mynd i weld y corff cyn hired â phosib.

'Reit 'te,' meddaf o'r diwedd, gan droi at Marshall. 'Der i ni weld beth sy gyda ni.'

Ma'r tâp plastig yn cael ei godi a'r tri iwnifform yn symud i'r ochr i adael i ni basio. Ma'r llecyn parcio yn ddigon bach nes fy 'mod i'n gallu gweld Eric Esiason, neu beth sydd ar ôl ohono, bron yn syth. Ma fe yn y gornel bella, wedi ei glymu i ddarn o'r ffens rhyw ddwy lathen 'nôl o ffin y tarmac, gyda changen fawr yn ei gysgodi. Ma'r gwaed wedi tasgu hyd at y tarmac mewn mannau, ond ma'r rhan fwya ohono wedi cael ei amsugno gan y pridd ma'r corff yn penlinio arno, y cefn yn syth yn erbyn y ffens a'r breichiau ar led. Wrth gerdded yn nes gwelaf fod Esiason wedi ei glymu i'r ffens gyda rhaff am ei ganol a stribedi plastig tenau am ei benelinau a'i arddyrnau. Roedd y llofrudd wedi gwneud yn siŵr nad oedd modd iddo ddianc o gwbwl.

Ma'r fwyell yn un newydd yr olwg – y ddolen yn bren a'r pen yn fetel llwyd, gyda gwaed wedi sychu arno. Ma'n pwyso yn erbyn y ffens, bron o fewn cyrraedd i law chwith Esiason.

Ma'r pen yn gorwedd ochr arall i'r corff, a dwi'n ddiolchgar ei fod yn wynebu i ffwrdd, tuag at y goedwig tu hwnt i'r ffens. Ma pryfed wedi eu denu gan arogl y gwaed, ond does dim pwrpas eu clirio nhw. Fyddan nhw ond yn dychwelyd yn syth.

'*Fuuuuck*,' ma Marshall yn sibrwd wrth weld yr olygfa, cyn troi ata i. 'Beth ti'n meddwl, 'te? Yr adrodd o'r Beibl cyn iddo gael ei ladd? Ife nytyr crefyddol sy gyda ni?'

'Falle,' atebaf. 'Ma'n rhaid i ni ystyried pob opsiwn ar hyn o bryd. Drycha, ma'n well i ni aros am y criw fforensig cyn mynd dim agosach, felly, yn y cyfamser, beth am i ni edrych o gwmpas y llecyn bach 'ma yn glou? Dechreua di trwy fynd i'r chwith, wna'i fynd i'r dde.'

Ma Marshall yn cytuno ac yn symud i ffwrdd, ond dwi'n aros i edrych ar y corff am eiliad neu ddwy arall. Nytyr crefyddol – ie, falle. Ond dwi'n dal i deimlo bod yna ryw gysylltiad gyda'r llofruddiaeth yng Nghwm Rheidol, a doedd dim elfen grefyddol i honno o beth welais i. Oes posib fod y llofrudd yn rhoi sioe 'mlân i ni – neu i rywun arall?

Mari

Wnes i ystyried mynd i mewn i'r swyddfa ar ôl i Taliesin fy ngollwng i yn y fflat a gyrru ffwrdd – fydd y lle fath â ffair, gyda digwyddiad fel hwn sydd wedi denu sylw'r byd ar y stepan drws. Dwi'n penderfynu peidio, y syniad o fod yn agosach byth at y llofruddiaeth yn gwneud i mi golli f'anadl, ac i'r cryndod ddod 'nôl i 'nwylo.

Dwi'n hwylio panad o de i mi fy hun ac yn eistedd i lawr ar y soffa gyda blanced drwchus, ond mae'r demtasiwn yn ormod, a dwi'n troi'r teledu 'mlaen i'r sianeli newyddion i weld sut mae'r stori'n cael ei thrafod.

Mae'r cyflwynydd ar BBC News yn cyfweld cyn-blismon sy'n amlinellu'r hyn fydd yr heddlu yn ei wneud ar hyn o bryd. Wrth iddo siarad mae'r enw Sir Geoffrey Fry yn ymddangos ar welod y sgrin, gyda *Retired Chief Inspector* oddi tano.

'Mi fyddan nhw wrthi ar hyn o bryd yn casglu tystiolaeth fforensig yn y *crime scene*. Mae honno'n broses sy'n cymryd cryn dipyn o amser – tynnu lluniau, chwilio am olion bysedd neu unrhyw fath o DNA mae'r llofrudd wedi ei adael. Fe fyddan nhw hefyd yn ymchwilio i gefndir y sawl sydd wedi cael ei ladd – siarad gyda'i deulu a'i ffrindiau, edrych ar ei gyfrifon ar y rhwydweithiau cymdeithasol ac yn y blaen. Yn y mwyafrif o achosion mae'r un sydd wedi ei ladd yn adnabod ei lofrudd, felly mae hyn yn hollbwysig, yn enwedig yn yr achos yma gan fod Eric Esiason, o'r hyn rydyn ni'n ei ddeall, wedi bod yn gweithio gyda phobol fregus sy'n diodde o ddibyniaeth ar alcohol neu gyffuriau.'

Mae'r cyflwynydd yn nodio, gyda golwg hollol ddifrifol ar ei wyneb.

'A ga i ofyn, yn eich barn chi, pam ffilmio'r erchylltra hwn a'i roi ar y we? Beth yw cymhelliad y llofrudd, chi'n meddwl?'

Mae Geoffrey Fry yn symud yn ei sedd ac yn clirio ei wddf.

'Dydw i ddim yn seicolegydd, chi'n deall,' daw'r ateb, 'ond mi fyddwn i'n amau bod y llofrudd eisiau sylw – cael arddangos yr hyn mae e wedi ei gyflawni. Ond allwn ni ddim dweud ar hyn o bryd p'run ai eisiau sylw yn gyffredinol mae e, neu ai denu rhywun neu rywrai penodol yw ei fwriad.'

Mi alla i ateb hynny i Geoff, meddyliaf, gydag ias yn saethu i lawr fy nghefn. Fy sylw *i* mae o eisiau.

'Ac ydych chi'n meddwl bod rhyw arwyddocâd yn yr adroddiad o'r Beibl, o Salm 23, yn enwedig o ystyried bod y corff wedi ei ddarganfod mewn pentre o'r enw *Devil's Bridge*?'

Mae'r cyflwynydd Saesneg yn pwysleisio'r enw, yn gwerthfawrogi'r darlun dramatig mae'n ei greu. Ym Mhontarfynach mae corff Eric Esiason felly – rhyw hanner awr o lle dwi'n eistedd rŵan.

'Mae angen cadw meddwl agored am bopeth ar hyn o bryd,' mae Fry yn ateb. 'Dwi ddim yn gyfarwydd â Phontarfynach fy hun, ond mae'n debyg ei bod yn ardal eitha gwledig, anghysbell – falle fod hynny wedi apelio at y llofrudd. Neu falle, fel y gwnaethoch chi awgrymu, fod rhyw gysylltiad gyda'r enw, neu hanes y lle. Mae'n rhy gynnar i wybod unrhyw beth i sicrwydd eto.'

'Ac yn ola,' mae'r newyddiadurwr yn gofyn drachefn. 'Mae sawl un wedi awgrymu tebygrwydd rhwng y llofruddiaeth hon a chyfres o lofruddiaethau gan ddyn o'r enw Andreas Rubio

Ortega ym Mecsico yn y nawdegau – ydych chi'n meddwl bod rhyw gysylltiad?'

Mae Geoffrey Fry yn dechrau edrych braidd yn anghyfforddus.

'Wel, fel ddwedes i, mae angen cadw meddwl agored. Wedi dweud hynny, dwi ddim yn or-gyfarwydd gydag achos y dyn Ortega yma ond, o beth dwi'n ddeall, lladd pobol oedd yn perthyn i gartels cyffuriau Mecsico yr oedd hwnnw, ac mi oedd yn ystod cyfnod gwaedlyd iawn yn hanes y wlad honno. Fydd yr heddlu'n ystyried unrhyw gysylltiad posib dwi'n siŵr, ond ar hyn o bryd fe fyddan nhw'n canolbwyntio ar y gwaith o gasglu tystiolaeth gadarn a dysgu mwy am y person gafodd ei ladd.'

'Syr Geoffrey Fry, diolch yn fawr am ymuno â ni.'

Dwi'n diffodd y teledu ac yn eistedd mewn tawelwch, yn dal fy mhanad ac yn ceisio peidio â dychmygu arswyd eiliadau olaf bywyd Eric Esiason.

Siwan

'Siwan,' ma Marshall yn galw, a phan dwi'n edrych i'w gyfeiriad ma fe'n pwyntio at fynedfa'r llecyn parcio. 'Ma fforensics a'r patholegydd yma.'

Ma Jimi George yn ei wisg wen yn sgwrsio gyda'r tri iwnifform, ei gês offer metel yn ei law. Tu ôl iddo fe ma Jon Patmore, y patholegydd, er nad ydw i'n ei adnabod e'n syth. Tro dwetha welais i fe roedd e'n ordew – yn agos at ugain stôn ma'n rhaid – ond ma'r Jon Patmore yma dipyn ysgafnach.

'Diawch, ma Patmore 'di colli pwyse!' ma Marshall yn sibrwd wrtha i, yn amlwg yn synnu at newydd wedd y patholegydd.

'Dyw e ddim 'di bod o gwmpas ers sbel, ddim 'di bod yn dda – glywes i ei fod e 'di treulio lot o amser yn yr ysbyty,' sibrydaf yn ôl.

Wrth i mi wylio, ma dau aelod arall o'r tîm fforensig yn agosáu, ac ma'r pedwar yn dringo o dan ffin y tâp heddlu ac yn cerdded tuag ata i. Ma Marshall a finne'n cwrdd â nhw yng nghanol y llecyn, a Jimi yn cyfarch y ddau ohonon ni. Ma'i wên arferol ar goll heddiw, a dwi'n dychmygu ei fod yn teimlo'r pwysau o orfod gwneud ei waith manwl, pwyllog tra'n gwbod bod y wlad gyfan, os nad y byd, yn gwylio.

'Hi Siwan, Emlyn,' meddai. 'Well i ni fynd ati'n syth – mae Saunders wedi gofyn am adroddiad cynnar cyn gynted â phosib. Oes unrhyw beth dwi angen ei wybod cyn dechrau?'

'Dim rhyw lawer,' atebaf, ac ma Marshall yn ysgwyd ei ben

mewn cytundeb. 'Ma'r corff a'r fwyell draw fyna, a ma 'na lot o waed, ond fel weli di, ma'r llawr yma'n darmac felly fyddwn ni'n lwcus i gael olion teiers. Ni'n dau wedi edrych o gwmpas yn gyflym a does dim byd o ddiddordeb amlwg – ambell ddarn o sbwriel fan hyn a fan draw sydd werth eu casglu rhag ofn, ond dyna i gyd.' Dwi'n troi i gyfarch y patholegydd. 'Hia Jon, shwd wyt ti? Wnes i ddim dy nabod di bron.'

'Shwd wyt ti, Siwan – ac Emlyn 'achan?' ma fe'n ateb yn ei lais dwfn, cyfeillgar. 'Ie, wel – daeth diwedd ar y bywyd bras, yn anffodus. Dwi'm yn gwbod os wnaethoch chi glywed i fi ga'l trawiad bach rhyw dri mis 'nôl – wel, trawiad eitha mawr a dweud y gwir. Digon i roi sioc i rywun. *Wake up call*, fel ma'n nhw'n ei alw fe'r dyddie hyn. Felly ta-ta i'r têc-awes a'r cwrw, a helô i lysiau a loncian.'

'Ti'n rhedeg?' gofynnaf, gan sylweddoli'n rhy hwyr mor syn dwi'n swnio.

'Odw, odw. Ond dyw hynna ddim yn beth newydd, cofia – pan o'n i yn yr ysgol o'n i'n dipyn o athletwr ti'n gwbod. A dweud y gwir, un tro–'

'Sori, Jon,' dwi'n torri ar ei draws, yn adnabod hon fel stori hir, gyfarwydd ma'r patholegydd yn hoffi ei hadrodd. 'Ma'n hyfryd i dy ga'l di 'nôl, ond ma'r cloc yn tician braidd – dy'n ni heb gyffwrdd â'r corff eto gan ein bod ni'n aros i ti gyrraedd, ond nawr dy fod ti yma falle allet ti ddechre trwy fynd trwy ei bocedi? Dwi'n disgwyl i ti ffeindio allwedd y car, a falle ffôn symudol.'

'Ie, ie, wrth gwrs, Siwan – rho gwpwl o funude i fi,' ma fe'n ateb, yn dangos dim dig am fethu rhannu ei stori, ac yn symud yn syndod o sionc i gyfeiriad y corff.

'Well i ni fwrw ati hefyd. Heidi…,' meddai Jimi George, gan droi at y ferch eiddil mewn siwt fforensig las sy'n sefyll y tu ôl iddo. Ma hi'n dal cês metel sy'n edrych yn drwm er ei bod hi'n ei gario'n gymharol ddiymdrech. '...Alli di ddechre tynnu lluniau? Y corff yn gynta os gweli di'n dda, cyn i Dr Patmore symud unrhyw beth, a gwna'n siŵr dy fod ti'n dal patrwm tasgu'r gwaed o sawl ongl hefyd.' Ma hi'n nodio, y camera'n hongian am ei gwddf yn barod. 'Gary – dechreua di yn y pen pella,' meddai gan droi at aelod ola'r tîm fforensig a phwyntio at waelod y llecyn. 'Wna'i i ddechre'r pen yma.'

'Pob lwc,' meddaf wrth i Jimi gerdded i ffwrdd.

'Dwi'n meddwl fyddwn ni 'i angen e,' ma fe'n galw 'nôl dros ei ysgwydd.

Taliesin

Ar ôl gadael Mari yn y fflat, dwi'n pendroni beth i'w wneud nesaf. Dau beth yn unig sydd ar fy meddwl i – cymaint dwi eisiau diod, a'r gofid cynyddol, afresymol yma fod Geraint Ellis yn gysylltiedig mewn rhyw ffordd â'r llofruddiaethau hyn.

Dwi'n ystyried mynd adre, ond dwi'n amau y byddai'r temtasiwn i fynd i'r siop am botel o rym yn fy nhrechu petawn i'n eistedd yn y fflat, felly dwi'n aros yn y car ac yn gyrru'n ddibwrpas o gwmpas Aberystwyth. Fydda i'n gwneud hyn o bryd i'w gilydd pan dwi angen meddwl – yn gwneud cylch hir gan gychwyn ar bwys y Castell, mynd i lawr y Prom, trwy'r dre ac i fyny rhiw Penglais, croesi Waunfawr, yna i lawr yr ochr arall drwy Lanbadarn, a thrwy Benparcau cyn anelu am y Castell unwaith eto.

Yn feddyliol dwi'n ceisio creu achos yn erbyn Geraint Ellis. Yn gyntaf, ac efallai'n bennaf, mae e'n llofrudd. Fe laddodd e bedwar o bobol, a difrodi eu cyrff nhw, a dwi'n siŵr y byddai wedi cario 'mlaen petai e heb gael ei stopio. Yn ail, fe wnes i chwarae rhan flaenllaw yn y broses o'i anfon ef i'r carchar, ac mae hynny'n rheswm digonol iddo fod yn chwilio am ffordd o ddial. Yn drydydd, roedd ganddo berthynas afiach gyda menywod, ac mi fyddai hynny'n gallu esbonio pam ei fod e'n anfon negeseuon i boenydio Mari yn hytrach na fi. Yn bedwerydd, mae'r llofrudd yn llofnodi ei ebyst gyda'r llythyren E – am Ellis? Wedi'r cwbl, Ellis Wyn fyddai sawl un yn ei alw – roedd Ellis yn enw cyntaf ac yn ail enw iddo ar gyfnodau gwahanol. Mae'r rhesymau yma'n troi mewn cylch yn fy mhen, yn dilyn yr un llwybr drosodd a throsodd, yn adlewyrchiad o'r daith gron dwi'n mynd ar hyd-ddi.

Yn ymwybodol 'mod i'm yn mynd i unman, dwi'n ceisio edrych ar y broblem o gyfeiriad gwahanol – os yw Geraint Ellis yn gyfrifol am y llofruddiaethau yma, sut fyddai e'n gallu cyflawni'r gweithredoedd hyn o gell carchar? Roedd e'n gymeriad digon unig, heb unrhyw ffrindau – a beth bynnag, pa ffrind fyddai'n barod i wneud y fath ffafr? Efallai ei fod e wedi cwrdd â rhywun yn y carchar, rhywun o'r un brid ag e, rhywun y gallai ei reoli o bell, rhywun sydd wedi cael ei ryddhau'n ddiweddar? Oedd gan Geraint Ellis y math yna o ddylanwad, y dicter i gyflawni'r fath drychinebau?

Heb wir benderfynu gwneud hynny, dwi wedi gadael y cylch diddiwedd o gwmpas Aberystwyth, a chan ddilyn greddf fy isymwybod rwy'n anelu'r car am bentref Tal-y-bont. Ymhen ugain munud, dwi wedi parcio tu allan i fwthyn ar gyrion y pentref, gyda gardd fach lawn planhigion o bob math, a mainc i eistedd arni ar gyfer mwynhau'r olygfa.

Dyma'r person dwi angen siarad ag e.

Cyn i mi newid fy meddwl, dwi'n agor y gât i'r ardd, yn cerdded i fyny'r llwybr ac yn cnocio ar ddrws y bwthyn.

Siwan

'Allweddi, walet, ffôn,' ma Jon Patmore yn dweud, wrth ddangos yr hyn ma fe wedi eu tynnu o bocedi Eric Esiason, sydd bellach mewn tri bag plastig clir. Dwi'n astudio'r cynnwys. Ma'r waled yn denau, bron yn wag. 'Un cerdyn banc, trwydded yrru, a phapur decpunt yn y waled – dyna i gyd. Dyn syml, taclus ddwedwn i. Ma'r ffôn yn un rhad, ac yn edrych yn eitha newydd, ac ma angen cod i'w agor e ma arna i ofn.'

Dwi'n diolch i'r patholegydd, ac yn gwasgu'r botwm ar allwedd y car heb ei dynnu o'r plastig. Ma goleuadau'r car yn fflachio a chlywaf y clo yn agor.

'Jimi – odi ddi'n iawn i fi edrych yn y car yn glou?' galwaf ar y swyddog fforensig.

'OK – ond menig 'mlaen,' ma fe'n ateb.

Dwi'n gwisgo menig plastig yn barod, a dwi'n agor drws y car. Ma popeth yn lân ac yn daclus, yn wahanol iawn i fy nghar i, sy'n orlawn o deganau, sbwriel a *wetwipes* ar ôl Cadi a Nansi. Does dim o ddiddordeb o dan y seddi, ond pan dwi'n agor y *glove compartment* dwi'n dod o hyd i ffôn symudol arall.

Ma'r sgrin yn goleuo wrth i fi wasgu'r botwm, a gwelaf fod ugain galwad goll oddi wrth un rhif – un sydd wedi ei storio o dan yr enw 'Kim'.

'Marshall,' galwaf. 'Ai Kim yw enw gwraig Esiason?'

'Ie, dwi'n meddwl,' ma fe'n ateb. 'Pam?'

'Ma hi wedi bod yn trio cael gafael arno fe – rhaid ei bod hi wedi dechre poeni pam na ddaeth e ddim gatre neithiwr. Ond edrycha – ma dau ffôn gyda fe. Pam hynny?'

Ma Marshall yn dod draw i astudio'r ddau declyn.

'Dim ond un rheswm fel arfer. Roedd Esiason yn gwneud rhwbeth doedd e ddim eisiau neb i wybod amdano fe.'

Heb wybod y cod i agor y naill ffôn na'r llall does dim mwy i'w ddysgu am y tro, felly, dwi'n rhoi'r ail ffôn mewn bag tystiolaeth plastig, ac yn mynd â'r cwbwl at Jimi George.

Wrth i mi gerdded heibio ma Jon Patmore yn y broses o ryddhau Eric Esiason o'r ffens haearn, a'i gynorthwyydd wrth law yn gosod sach fawr ddu ar y llawr yn barod i ddal y corff. Ma'r patholegydd yn torri trwy'r stribed tenau oedd yn dal yr arddwrn chwith i'r ffens, ac ma'r fraich yn disgyn yn llipa.

'Diolch,' ma Jimi yn dweud wrth i mi basio'r pedwar bag tystiolaeth iddo, gan eu rhoi mewn sach bapur fawr i'w cludo nhw 'nôl i'r lab.

'Ti 'di dod o hyd i unrhyw beth?' gofynnaf, yn ceisio canolbwyntio ar Jimi a pheidio ag edrych ar yr hyn ma'r patholegydd yn ei wneud.

'Dim ond un peth, draw fan hyn. Fel ddwedest ti, gewn ni ddim olion teiars o'r tarmac yma, ond fe wnes i ddod o hyd i beth sy'n edrych fel ôl troed, neu ran o ôl troed, mewn gwaed. O'r hyn sydd yna i'w fesur mi fyddwn i'n dweud ei fod e tua maint 6 neu 7, ond mae'n anodd bod yn bendant. A ti'n gweld fan hyn – y llinell grom yma? Mae'n edrych ychydig bach fel darn o logo Adidas i fi.'

Dwi ddim yn gallu adnabod y logo ond yn hapus i dderbyn barn arbenigol Jimi. Dwi'n diolch i'r swyddog fforensig, ac yn ymlwybro 'nôl i gyfeiriad Jon Patmore, sydd bellach wedi gosod corff Eric Esiason yn y sach ddu ac sydd wrthi yn ei chau.

'Jon – cyn i ti fynd, ife ti wnaeth y *post mortem* ar gorff Reg Watson?'

'Y corff yn y goedwig yng Nghwm Rheidol? Ie. Pam?' ma fe'n ateb.

'Ydw i'n iawn i feddwl bod ôl cyffuriau yn ei system? Tawelyddion falle?'

'Oedd, dyna ti. Bendith mewn ffordd – gobeithio ei fod e ddim yn rhy ymwybodol o beth oedd yn mynd 'mlân.'

'Fyddet ti'n gallu tsheco am bresenoldeb yr un cyffur, neu rywbeth tebyg iddo fe, yn y corff yma, a gadael i fi wybod yn syth os wyt ti'n dod o hyd i unrhyw beth?' gofynnaf.

'Ie, iawn. Ti'n meddwl bod cysylltiad rhwng y ddau achos, 'te? Ma'n nhw i weld yn eitha gwahanol i fi.'

'Dwi ddim yn gwbod, Jon. O beth dwi'n ddeall roedd Watson yn alcoholig, a ma Esiason yn gweithio gyda phobol sy'n diodde o ddibyniaeth – ma'n bosib eu bod nhw'n nabod ei gilydd.'

'Ie, wrth gwrs. Ry'n ni 'di cwpla fan hyn beth bynnag – fe af i 'nôl nawr a dechre'r PM yn syth.'

'Diolch i ti, Jon.'

Dwi'n aros i wylio'r sach yn cael ei llwytho'n ofalus i gefn fan y patholegydd, gyda theimlad di-sail bod profion Jon Patmore yn mynd i gadarnhau'r amheuon sy'n tyfu yn fy meddwl.

E

Y mwyaf dwi'n gwylio llofruddiaeth Eric yn cael ei drafod ar y newyddion y mwyaf dig dwi'n mynd. Mae fel petai pawb yn y byd yn gwerthfawrogi'r weithred – pawb heblaw am y person pwysicaf. Dwi wedi bod yn aros am ymateb i fy ebost drwy'r bore, ond does dim smic. Mewn pwl o ddicter dwi'n taro fy ffôn yn galed yn erbyn y bwrdd, drosodd a throsodd, nes fod y sgrin yn deilchion.

Taliesin

Dwi'n sefyll yn hollol lonydd, yn gwrando am y smic lleiaf fyddai'n awgrymu bod rhywun ar fin agor y drws. Mae fy nghalon yn cyflymu wrth glywed sŵn traed yn agosáu'n araf. Mae sŵn y clo wrth agor yn gwneud i mi ystyried troi fy nghefn a diflannu 'nôl i lawr y llwybr am y car nerth fy nhraed, ond dwi'n gorfodi fy hun i gamu'n agosach. Yna mae'r drws yn agor a dwi'n syllu'n syth i bâr o lygaid cyfarwydd, sy'n lledu mewn syndod wrth sylweddoli pwy sydd wedi ymddangos ar ei stepen ddrws. Mae ei wyneb wedi newid ers i mi ei weld ddiwethaf – wedi newid er gwell rhywsut, ond er gwaeth ar yr un pryd.

'Helô Taliesin,' meddai.

Dwi wedi anghofio'r ymateb priodol i'r cyfarchiad hwn, rhywsut, a dwi'n sefyll yn fud, yn ymbalfalu am y geiriau, cyn iddyn nhw ddisgyn o fy ngheg yn frysiog:

'Helô MJ.'

MJ

'Wel, jiw jiw, do'n i ddim yn dishgwl dy weld di fynna. Der mewn, der mewn.'

Dwi'n camu i'r ochr i adael i Taliesin gamu i'r cyntedd. Mae'n oedi am eiliad, cyn cerdded mewn, a dwi'n cau'r drws.

'Pwy sy'na, Ben?' mae Lowri'n gofyn, wrth ddod o'r gegin, dwy ddishgled o de yn ei dwylo. 'O sori,' meddai wrth sylwi ar Taliesin. 'O'n i'm yn gwbod bod cwmni gyda ni.'

'Taliesin, dyma Lowri, fy mhartner i,' dwi'n ei chyflwyno hi. 'Lowri, dyma Taliesin MacLeavy. Dyma'r dyn achubodd fy mywyd i.'

'Hyfryd i gwrdd â ti, Taliesin,' mae Lowri'n gwenu. 'Mae Ben wedi siarad cymaint amdanot ti. Alla i gynnig dishgled i ti?'

'Oes... oes digwydd bod Ribena gyda chi?' gofynna Taliesin.

Dwi'n gwenu wrth gofio ei hoffter o'r ddiod yna.

'Ribena? Ti'n gwbod beth, fi'n meddwl bod potel yn y cwpwrdd,' mae Lowri'n ateb, fel petai pobol yn gofyn iddi am Ribena bob dydd. 'Ewch chi i'r stafell fyw, wna'i ddod ag e drwyddo.' Mae'n estyn un cwpanaid o de i fi, ac yn diflannu 'nôl i'r gegin.

'Dere, Taliesin, gad i ni eistedd,' meddaf gan ei arwain i'r stafell fyw fach, a'i wahodd i eistedd ar y soffa. Dwi ar fin gofyn sut mae pethau, ond yn brathu fy nhafod ar yr eiliad olaf. Fe wnes i ddilyn ei achos diwethaf – llofruddiaethau

Cynan Bould a'r hyn wnaeth arwain Taliesin ei hun i orfod lladd dynes. Roeddwn i'n grac tu hwnt wedi deall ei fod wedi gadael yr heddlu yn dilyn hynny – yn grac gyda'r sawl wnaeth geisio ei erlyn, yn grac gyda'r wasg am gyhoeddi'r holl benawdau syfrdanol yna, ac yn grac gyda'r heddlu am beidio â rhoi mwy o gefnogaeth a chymorth iddo fe. Mae ei glywed nawr, y ditectif mwyaf galluog wnes i weithio gyda fe erioed, yn cyfrannu at ryw bodlediad ceiniog a dimau, yn adrodd storïau llofruddwyr, yn fy ngwneud i'n drist ac yn rhwystredig. Ond yna dwi'n cofio'r prif beth wnes i ddysgu o'r sesiynau therapi gefais i tra 'mod i'n gwella o'r ymosodiad – y cwestiynau heriol, anodd yw'r rhai sydd angen eu gofyn, nid eu hosgoi.

'Sut mae pethau?' gofynnaf.

Yr eiliad yna mae Lowri'n cerdded i'r ystafell ac yn ymestyn gwydraid o Ribena i Taliesin.

'Wna' i adael chi'ch dau i sgwrsio,' meddai ac mae'n gwasgu fy ysgwydd yn ysgafn wrth adael. Mae Taliesin yn cymryd llymaid o'i ddiod.

'Mi oedd pethau'n wael,' meddai, a dwi'n synnu i gael ateb mor onest yn syth. 'Ar ôl beth ddigwyddodd i ti, ac yna achos Cynan Bould, o'n nhw'n wael iawn. Ond dwi'n meddwl, dros y dyddiau diwetha 'ma, 'mod i wedi ffeindio ffordd i ddechrau gwella.'

'Ma hynny'n grêt, Taliesin, 'dwi'n ateb, a wir yn ei feddwl e.

'Ond mae yna rywbeth sydd angen ei ddatrys gynta, rhywbeth pwysig, ac unwaith fydd hynna wedi ei wneud fydda i'n gallu symud 'mlaen yn iawn.'

'Os alla i wneud unrhyw beth – unrhyw beth o gwbwl – jyst gofyn. Mae arna i ddyled fawr i ti, Taliesin.'

'Alla i dy drystio di i gadw hyn i ti dy hunan?' gofynna, ac mae'n syllu i'n llygaid i.

'Wrth gwrs alli di,' atebaf. 'Nawr, beth sydd ar dy feddwl di?'

Taliesin

Mae'n amlwg wrth edrych ar MJ, a'i gymharu â'r ditectif o'n i'n arfer gweithio gydag e, bod ymosodiad Geraint Ellis wedi gadael tipyn o'i ôl arno'n gorfforol. Mae ei wallt wedi britho, ei ysgwyddau'n crymu ac mae yna botel ocsigen yn cuddio tu ôl i'w gadair, er nad yw'n ymddangos ei fod e mas o anadl ar hyn o bryd. Ond mae yna newid arall hefyd, newid mwy cynnil ac annisgwyl – mae'n ymddangos yn hapusach, yn fwy cyfforddus ei fyd. Efallai fod hynny oherwydd iddo ddod o hyd i bartner – dwi wedi anghofio ei henw hi'n barod, ac mi roedd hi wedi cymysgu'r Ribena braidd yn gryf, ond roedd yn amlwg fod y ddau yn hapus gyda'i gilydd. Mae Mari'n fflachio i'n meddwl i, a dwi'n gadael iddi aros yna am dipyn cyn ailafael yn y sgwrs gydag MJ.

'Mae'n well i mi ddechrau o'r dechrau.' Dwi'n adrodd hanes y llofruddiaethau diweddar, o'r ebost cyntaf dderbyniodd Mari hyd at gyhoeddi fideo dienyddiad Eric Esiason ar y we.

Mae llygaid MJ yn lledu gyda phob manylyn, ac erbyn i mi orffen, mae'n eistedd yn ôl yn ei gadair, ei de yn oeri ar y bwrdd bach.

'Blydi hel, Taliesin,' meddai, ac mae cyfnod o dawelwch yn dilyn. 'Blydi hel. Ond sai'n deall – pam nad wyt ti wedi mynd at yr heddlu? Pam dod ata i?'

Dyma'r peth ro'n i'n poeni amdano fwyaf, ond dwi'n cario 'mlaen.

'Ellis Wyn,' meddaf. Dydy MJ ddim yn ymateb wrth glywed enw'r dyn a geisiodd ei ladd.

'Geraint Ellis oedd ei enw iawn, dim Ellis Wyn, a dyna mae'n galw ei hun nawr. Ond ie, beth amdano fe?' gofynna mewn penbleth.

Gydag anadl ddofn, dwi'n rhestru'r rhesymau pam dwi'n meddwl bod gan Geraint Ellis ran i'w chwarae yn y llofruddiaethau diweddaraf yma – y dial, y dicter a'r ffaith ei fod yn targedu Mari yn adlewyrchiad o'i gasineb tuag at fenywod.

Mae MJ yn syllu arna i am dipyn cyn ateb.

MJ

'Taliesin, mi oedd yna gyfnod pan fyddwn i wedi gweld synnwyr yn yr hyn wyt ti'n ei ddweud. Duw a ŵyr faint o boen – corfforol ac emosiynol – dwi wedi godde achos Geraint Ellis. Ond roedd y boi yn sâl – ti'n cofio'r plentyndod gafodd e, a'r diawl o dad yna o'dd 'da fe? Mae'n ddigon posib y bydde fe wedi cario 'mlaen i ladd tasen ni heb ei ddal e – ond fe *wnaethon* ni ei ddal e, a ma fe yn y carchar nawr, ac yn derbyn triniaeth.'

Dwi'n eistedd ymlaen yn fy nghadair. Mae'r symudiad cyflym yn achosi fflach o boen yn fy stumog. Dwi'n gobeithio nad yw Taliesin wedi sylwi.

'Ar y dechre wnes i ofyn i gwpwl o ffrindie yn y ffôrs i gadw llygad arno fe – i siarad gyda'r rhai sy'n ei warchod e yn y carchar, pethe fel'na. O'n nhw i gyd – pob wan jac – yn dweud taw cael ei ddal oedd y peth gore ddigwyddodd iddo fe erio'd, a'i fod e'n ymateb yn dda i'r driniaeth. O'n i'n sinigaidd ar y dechre, wrth gwrs 'mod i, ond wedyn un diwrnod dyma'n therapydd i'n awgrymu falle y dylen i sgrifennu llythyr iddo fe. Fe sgrifennes i sawl tudalen, yn esbonio'r holl boen oedd e wedi ei greu i bawb, a fi'n un o'n nhw, ac yn ei rybuddio nad oedd e'n mynd i fy nhwyllo i. Er 'mod i'n sgrifennu iddo fe, er fy mwyn i fy hunan oedd hynny go iawn, a do'n i ddim yn bwriadu anfon y llythyr. Ond yna fe ddechreues i feddwl – pam lai? Gan fod y llythyr 'da fi, 'run man 'mod i'n ei anfon e.'

Mae'r ymdrech o siarad cymaint yn ormod ac rwy'n anadlu'n ddofn sawl gwaith cyn cario 'mlaen.

'Do'n i'n bendant ddim yn disgwyl ateb, ond wthnos yn ddiweddarach dyna ges i. Roedd stamp ar yr amlen yn dangos fod y llythyr wedi dod o'r carchar, a wnes i ei roi e naill ochor yn syth. Fe gymrodd e dridie i fi benderfynu ei ddarllen e, a phan wnes i oedd e'n un ymddiheuriad hir. Doedd e ddim yn gofyn i mi faddau iddo fe ond yn addo y bydde fe'n cario baich yr hyn wnaeth e am byth.

'Fe fues i'n blismon am flynyddoedd maith, Taliesin, a dwi'n gwybod pan ma rhywun yn gweud celwydd – a dwi'n siŵr erbyn hyn fod Geraint Ellis yn dweud y gwir, ei fod e wedi syrthio ar ei fai ac yn ceisio gwella.'

Dwi'n estyn fy mreichiau tuag at Taliesin, y cledrau i fyny.

'A beth bynnag, hyd yn oed os yw e wedi fy nhwyllo i a phawb arall, sut yn y byd fydde rhywun fel fe'n gallu trefnu cyfres o lofruddiaethau mor fanwl â'r rhain o'i gell? Dy'n ni ddim yn sôn am bennaeth y Mafia fan hyn, ond am un dyn sâl. Na, dim fe yw dy foi di, Taliesin – dwi'n siŵr o hynny.'

Taliesin

Mae bod yma yng nghwmni MJ, a chlywed y sicrwydd yn ei lais, fel camu mewn i gawod oer. Tra ein bod yn gweithio gyda'n gilydd mi ddwedodd sawl gwaith taw'r peth pwysig oedd dilyn y dystiolaeth, yn hytrach na chreu theorïau di-sail, heb brawf. Gwelaf nawr 'mod i wedi anghofio'r cyngor hwnnw dros amser, ac wedi syrthio i drap o greu a chredu fy syniadau fy hun. Efallai nad ydw i'n rhan o'r heddlu bellach, ond dydy hynny ddim yn golygu na fedra i feddwl fel ditectif.

'Drych, Taliesin,' meddai MJ. 'Yr unig beth alla i awgrymu yw y dylet ti fynd at yr heddlu. Ma hwn yn achos mawr nawr – mae'r llofruddiaeth ddiweddara, y boi Esiason 'ma, mae e wedi bod ar y teledu drwy'r dydd.'

Mae MJ'n iawn, wrth gwrs. Dwi ar fin diolch iddo, a chodi ar fy nhraed i roi llonydd iddo, ac efallai ei fod e'n sylweddoli hynny.

'Ond cyn i ti fynd,' mae'n cario 'mlaen yn sydyn. 'Oes gyda ti gopïau o'r ebyst – y rhai wnaeth y llofrudd anfon at Mari? Jyst i fi gael eu darllen nhw'n glou, o ran diddordeb…'

Yn amlwg dydy popeth sydd wedi digwydd ddim yn golygu bod MJ wedi stopio meddwl fel ditectif chwaith.

Dwi'n tynnu fy ffôn o fy mhoced, ac yn symud draw at MJ. Ar fy nghwrcwd ar bwys ei gadair, dwi'n dod o hyd i'r ebyst mae Mari wedi eu hanfon ymlaen ata i, ac yn dangos pob un yn eu tro.

'I ti. E. x' – yr ebost cyntaf, sy'n cynnwys y ddolen i'r erthygl am lofruddiaeth Rosa Krajicek.

''Nest ti weld y tebygrwydd i Krueller?' – y neges ddaeth yn fuan wedyn, yn dal i gyfeirio at y llofruddiaeth gyntaf.

'Anrheg arall jyst i ti. E x' – yr ebost sy'n cynnwys y ddolen i'r stori am lofruddiaeth Reg Watson, y corff yn y coed.

'Mae hyn i gyd i ti. E x' – y neges ddiweddaraf, ar ôl llofruddiaeth Eric Esiason.

Mae MJ yn copïo pob un ar ddarn o bapur, yn ogystal â'r dyddiadau a'r amseroedd yr anfonwyd nhw.

'Ac i'r un cyfeiriad gafodd rhein i gyd eu hanfon?' gofynna MJ.

'Ie – post@ffeildrosedd.co.uk, y cyfeiriad sy'n cael ei rannu ar ddiwedd y podlediadau.' Mae MJ'n astudio'r negeseuon am dipyn. 'Beth sy'n mynd trwy dy feddwl di?' gofynnaf.

'Dwi ddim yn gwbod,' mae'n ateb, yn tapio blaen ei feiro yn erbyn y papur. 'Ma'n nhw'n syml, yn agored. Does dim llawer yna. Ond gad nhw gyda fi. Ac yn y cyfamser...'

'Ie, dwi'n gwbod. Rhannu gyda'r heddlu. Mi wna'i fynd i weld Siwan Mathews heddiw.' Dwi'n codi ar fy nhraed, fy nghoesau'n boenus o fod ar fy nghwrcwd. Mae MJ yn gwthio'i hun ar ei draed yn ofalus, ac yn estyn ei law.

'Diolch iti am ddod, Taliesin. A wna'i gymryd y cyfle yma i ddiolch i ti am bopeth arall hefyd – hebddot ti fyddwn i heb gael yr ail-gyfle yma, ac fe fydda i'n ddiolchgar i ti am byth am hynna. A plis – der 'nôl rywbryd eto, wnei di?'

Dwi'n gafael yn dynn yn ei law.

'Wrth gwrs, MJ.'

Mae MJ'n gwenu.

'Plis, galwa fi'n Ben, wnei di?'

Siwan

Gyda'r lleng o newyddiadurwyr yn chwyddo pob munud, a llygaid y byd wedi eu hoelio ar Geredigion, ma'r Dirprwy Brif Gwnstabl ei hun wedi penderfynu dod i Bontarfynach i wneud datganiad. Ma fe'n cyrraedd mewn Volvo newydd, sgleiniog ac yn dringo allan o'r drws cefn gyda Saunders yn ei ddilyn. Dyn main, moel gyda thrwyn cryman yw Robert Ferguson, un sy'n uchel ei barch yn y ffôrs yn ogystal ag yn ei gapel lleol, lle ma fe'n pregethu ambell ddydd Sul. Bellach yn agosáu at oed ymddeol, fe gychwynnodd fel iwnifform ifanc a symud i fyny trwy gyfuniad o allu gwleidyddol, gwaith caled a pharch at ei gyd-weithwyr. Os oes ganddo wendid, efallai ei fod yn or-hoff o weld ei wyneb ei hun ar y teledu, sy'n rhannol esbonio pam ei fod e yma nawr.

Ma Saunders yn ei arwain draw at y llecyn parcio, lle ma'r corff eisoes wedi cael ei gludo i ffwrdd yn fan Jon Patmore, a char Eric Esiason yn y broses o gael ei lwytho ar gefn lorri i'w gludo i labordy'r tîm fforensig.

'Dyma Ditectif Marshall a Ditectif...' ma Saunders yn ein cyflwyno, ond ma Ferguson yn torri ar ei thraws.

'Siwan Mathews,' ma fe'n gorffen ei brawddeg. 'Sut wyt ti, Siwan?' Albanwr ydy Ferguson yn wreiddiol, wedi symud i Geredigion yn ifanc ac wedi dysgu Cymraeg, ac ma'i acen Glasgow yn rhoi rhythm stacato i'w frawddegau.

'Dwi wedi ca'l dyddie gwell, syr,' atebaf.

'Amen i hynny,' ma fe'n ymateb. 'Iawn, wna'i ddim

gwastraffu eich amser chi'ch dau – ma Saunders wedi amlinellu lle rydyn ni arni ar y ffordd yma, ond oes unrhyw beth gyda ti i ychwanegu cyn i mi fynd i siarad â'r wasg? Gobeithio, wrth roi datganiad bach iddyn nhw nawr, wnawn nhw adael i chi fod am dipyn bach, o leia.'

'Dim rhyw lawer ar hyn o bryd, syr. Ma'r patholegydd wedi gadael gyda'r corff ers hanner awr, a'r criw fforensig wedi gwneud ymchwiliad bras ond heb ffeindio rhyw lawer mor belled – dim ond un ôl troed posib. Ma'n nhw wrthi nawr yn gwneud ymchwiliad mwy manwl o'r ardal, fyddan nhw yma am sbel eto. Fyddwn i ddim yn awgrymu eich bod chi'n datgelu hyn i'r wasg, syr, ond ry'n ni wedi dod o hyd i ddau ffôn yn meddiant Esiason – falle fydd rheini'n ein helpu ni i weithio mas pam ddaeth e yma.'

'Iawn, diolch. Fe wnaeth Saunders sôn hefyd fod yna lofruddiaeth arall yn ddiweddar, yng Nghwm Rheidol – fydd y newyddiadurwyr yma wedi gwneud eu gwaith cartre ac yn siŵr o ofyn os oes yna gysylltiad. Beth yw'ch barn chi?'

Dwi ddim am leisio fy amheuon ynglŷn â hynny ar hyn o bryd.

'Falle allech chi ddweud bod dim cysylltiad amlwg ar hyn o bryd, ond ein bod ni'n cadw meddwl agored?'

'Iawn, OK,' ma Ferguson yn ateb, ac yn troi at Saunders. 'Dau funud bach i mi baratoi, ac wedyn ewn ni i wynebu'r wasg?'

'Ie, iawn syr,' meddai hithau. Ma'i gwefusau hi'n dynn – dwi'n gwybod ei bod hi, yn wahanol i Ferguson, yn casáu bod o flaen y camerâu. Wrth i'r Dirprwy Brif Gwnstabl droi i ffwrdd ma Saunders yn edrych arna i. '*Fucking* newyddiadurwyr. Ond beth bynnag – beth yw dy gynlluniau di nawr?'

'Dwi ar y ffordd i siarad gyda'r ddynes ddoth o hyd i'r

corff, ac wedyn fydda i a Marshall yn mynd i gyfweld Mrs Esiason.'

'OK,' ma hi'n ateb. 'Ond cofia, os wyt ti angen unrhyw beth gen i, gofynna'n syth. Ma pwysau mawr arnon ni i wneud hyn yn iawn, ac yn gyflym.'

'Iawn, ma'am – wrth gwrs.'

Gyda hynny ma'r ffôn yn canu yn fy mhoced, ac wrth ei dynnu allan gwelaf taw Taliesin sy'n galw. Sdim amser gyda fi nawr, meddyliaf, gan wasgu'r botwm i wrthod yr alwad a'i anfon i'r peiriant ateb.

Ma Saunders wedi cerdded ffwrdd ar ôl y DBG, a dwi'n troi ac yn galw ar Marshall sy'n siarad gyda Jimi George. Ma pengliniau a phenelinoedd siwt wen Jimi yn fwdlyd lle ma fe wedi bod ar ei bedwar yn astudio'r ôl troed.

'Emlyn – dere, well i ni fynd.'

Taliesin

Pan dwi'n clywed llais Mathews ar y peiriant ateb yn fy ngwahodd i adael neges dwi'n gorffen yr alwad. Wna'i drio ei ffonio hi eto nes 'mlaen.

Dwi'n eistedd yn y car tu allan i fwthyn MJ, yn ystyried beth i'w wneud nesaf. Mae yna gryndod bach yn fy nwylo wrth afael yn olwyn y car – mae emosiwn y sgwrs ges i gyda Mari am Chris Kedward yn dal yn amrwd, ac os ydw i'n mynd adre mae gen i deimlad y bydd y temtasiwn i gael diod yn siŵr o fynd yn drech na fi, er 'mod i'n ymwybodol y bydd yn rhaid i mi wynebu hynny yn hwyr neu'n hwyrach. Yna, dwi'n cael syniad. Mae gen i gof fod yna gyfarfod Alcoholics Anhysbys wedi ei drefnu yn hwyrach heddiw, am bedwar o'r gloch. Mae'n debyg y bydd hwnnw wedi ei ganslo ar ôl beth sydd wedi digwydd i Eric Esiason, ond dwi'n penderfynu mynd beth bynnag, jyst rhag ofn. Am un peth dwi nawr yn fwy sicr fyth fod yna gysylltiad rhwng y grŵp hwn a'r llofruddiaethau, ac mae yna ddarn bach ohona i eisiau cael un cynnig olaf ar ddod o hyd i'r cysylltiad hwnnw cyn rhannu unrhyw wybodaeth gyda'r heddlu.

Ond yn ogystal â hynny, dwi'n teimlo 'mod i angen mynd, 'mod i angen bod yng nghwmni'r rheini sy'n deall sut deimlad yw bod ofn mynd adre a disgyn i goflaid y botel unwaith eto, y rheini sydd eisiau stopio yfed ac sy'n dal i ymdrechu er gwaetha'r ffaith eu bod nhw wedi methu dro ar ôl tro.

Mae cloc y car yn dweud ei bod hi ychydig wedi dau o'r gloch nawr – mae gen i bron i ddwy awr nes i'r cyfarfod ddechrau, ac yn sydyn dwi'n teimlo'n llwglyd tu hwnt. Gan danio injan y car, dwi'n penderfynu mynd 'nôl am Aberystwyth, a stopio rhywle am ginio cyflym cyn y cyfarfod.

E

Does gen i ddim llawer o amynedd mynd i'r cyfarfod AA diflas yna pnawn 'ma, i wrando ar bawb yn wylo ac yn udo dros Eric, ond mi ddylwn i ddangos fy wyneb. Ro'n i braidd yn fyrbwyll, yn dewis Eric mor fuan ar ôl Reg, ac mae'n siŵr y bydd yr heddlu'n eu cysylltu nhw trwy'r cyfarfodydd AA, felly mae'n bwysig i mi beidio â denu sylw ataf fy hun trwy ddiflannu'n sydyn. Fydda i yno, yn wylo ac yn udo gyda'r gweddill.

MJ

Un o sgileffeithiau'r ymosodiad – neu efallai yr holl driniaeth ddaeth ar ôl hynny – yw 'mod i'n blino'n hawdd. Unwaith y gadawodd Taliesin mi fues i'n eistedd yn fy nghadair am dipyn, yn pendwmpian, a rhaid 'mod i wedi cwympo i gysgu'n drwm oherwydd yn sydyn fe wnes i agor fy llygaid a gweld bod Lowri ar y soffa yn gwneud croesair, heb unrhyw gof ohoni'n dod i'r ystafell.

Mae'n edrych arna i ac yn gwenu, yn sylwi 'mod i wedi dihuno.

'Ti'n OK?' gofynna. Dwi'n eistedd i fyny, ac yn ystwytho.

'Ydw, ydw, iawn. Faint o'r gloch yw hi?'

'Bron yn bedwar.'

Dwi'n aros am dipyn, y ddau ohonon ni'n gyfforddus yn y tawelwch.

'Braf fod Taliesin wedi dod i dy weld di,' meddai Lowri, ei llygaid hi'n dal i syllu ar y croesair.

'Oedd, mi oedd hi'n neis i'w weld e. Ond gredi di byth beth oedd gyda fe i'w ddweud.' Er 'mod i wedi addo peidio â rhannu'r hyn ddwedodd Taliesin wrtha i, dwi ddim yn oedi cyn adrodd yr hanes i gyd wrth Lowri, yn y sicrwydd na fydd e'n mynd dim pellach. Erbyn i mi orffen mae hi'n syllu arna i, y croesair yn ei chôl wedi ei anghofio.

'Ond ma llofruddiaeth Eric Esiason dros y newyddion i gyd – a ti'n dweud bod Taliesin wedi bod yn siarad gyda'r llofrudd?' gofynna.

'Wel, y llofrudd sydd wedi bod yn siarad gyda Taliesin – neu, yn hytrach, gyda Mari sy'n cyflwyno *Ffeil Drosedd*...'

Wrth i mi orffen y frawddeg mae syniad yn neidio i'm meddwl i, a dwi'n estyn am y pad papur ar y bwrdd bach.

'Beth sy, Ben?' gofynna Lowri, gan symud i eistedd ar fraich fy nghadair.

'O'n i jyst yn meddwl...' atebaf yn ofalus, wrth syllu ar y papur o hyd. 'Dyma'r negeseuon sy wedi dod oddi wrth y llofrudd, a ddwedodd Taliesin eu bod nhw wedi cael eu hanfon i'r cyfeiriad ebost sy'n cael ei rannu ar ddiwedd pob pennod o *Ffeil Drosedd*.'

Mae Lowri'n astudio'r negeseuon yn ofalus.

'OK,' meddai. 'A beth wyt ti'n feddwl, 'te?'

'Wel, dim ond llond llaw o'r podlediadau yna dwi wedi gwrando arnyn nhw, ond fydd Mari'n dweud rhywbeth fel 'cofiwch gysylltu gyda ni ar yr ebost yma' ar ddiwedd pob pennod, a dwi'n siŵr i Taliesin ddarllen y cyfeiriad unwaith neu ddwywaith.'

'Felly ti'n meddwl...' mae Lowri'n dechrau ateb.

'...falle taw negeseuon i Taliesin yw'r rhain, a dim i Mari.'

Taliesin

Ar ôl stopio yn Morrisons ar gyrion Aberystwyth i brynu brechdan tiwna, paced o greision a photel o Ribena, dwi'n eistedd yn y maes parcio i fwyta fy nghinio hwyr, ac yn ceisio gwneud yn siŵr 'mod i ddim yn colli briwsion dros y car. Fe wnes i ystyried prynu afal hefyd, ond roedd clais ar bob un, a fedra i ddim diodde hynny. Er mai dim ond am bum munud fues i yn y siop, fe wnes i glywed sawl un yn trafod llofruddiaeth Eric Esiason, y bai am y drosedd yn disgyn ar bob math o bobol, o ddelwyr cyffuriau i'r rhai sy'n addoli'r diafol, i'r heddlu eu hunain.

Dwi'n bwyta'n araf, yn meddwl 'nôl dros fy sgwrs gydag MJ. Mae'n amlwg ei fod wedi dioddef tipyn ers yr ymosodiad, ond dwi'n ei edmygu am y ffordd mae e wedi addasu i'w sefyllfa – wedi wynebu'r trawma gyda help therapydd, ac wedi creu bywyd newydd, gwell iddo'i hun gyda Lowri. Dwi'n teimlo'n euog 'mod i wedi ei lusgo 'nôl i fyd trais a marwolaeth ac yntau wedi llwyddo i ddianc ohono ac yn addo i mi fy hun, unwaith y bydda i wedi rhannu popeth dwi'n ei wybod am y llofruddiaethau diweddaraf gyda Siwan a'r heddlu, y bydda i'n gwneud pob ymdrech i addasu ac ail-greu fy mywyd fel MJ. Cydnabod 'mod i'n alcoholig – gair sy'n mynd yn haws i'w ddweud bob tro dwi'n cyfaddef y gwir – oedd y cam cyntaf, ond mewn ffordd troi fy nghefn ar y botel fydd y darn hawsaf ynglŷn â chreu'r bywyd newydd yma. Mae'r rhan arall – rhannu'r dyfodol gyda Mari – yn fwy brawychus. Sut i ennill ei chariad hi? Sut i'w gadw? Beth fydda i'n ei wneud os nad ydy hi'n gweld y dyfodol yn yr un ffordd?

Dwi'n parhau i eistedd yn y car ar ôl gorffen bwyta, yn gofidio ac yn cysuro fy hun gyda'r un freuddwyd. Yna, gyda chipolwg ar y cloc, gwelaf ei bod hi'n agosáu at bedwar o'r gloch a'r cyfarfod AA. Dechreuaf injan y car, gwau fy ffordd allan o faes parcio Morrisons ac anelu am ganol y dre.

E

Dwi ymysg y cyntaf i gyrraedd. Mae Alys, un o gynorthwywyr Eric, yn cymryd cyfrifoldeb dros arwain y sesiwn, a dwi'n cynnig helpu i osod y caderiau mewn cylch. Mae Alys yn gwisgo sbectol drwchus gyda ffrâm ddu, ei llygaid coch wedi chwyddo trwy'r lensys. Dwi ddim yn cofio ei gweld mewn sbectol o'r blaen – mae'n rhaid ei bod hi'n gwisgo lensys cyffwrdd fel arfer. Mae hi'n fy nghofleidio ac yn beichio crio ar fy ysgwydd. Er gwaetha'r dicter a'r rhwystredigaeth dwi wedi bod yn ei deimlo drwy'r dydd achos bod fy ymdrechion heb lwyddo i ennyn un ebost o ymateb, dwi'n teimlo fel petawn i eisiau chwerthin am ei phen.

'Alla i ddim credu hyn. Mi oedd e'n ddyn mor dda,' mae'n igian yn fy nghlust, a dwi'n arogli sigaréts ar ei hanadl. Dwi ddim yn cofio gweld Alys yn smocio erioed.

'Oedd, mi oedd e,' atebaf. Dydy hynny ddim yn teimlo'n ddigonol, felly dwi'n meddwl am rywbeth i'w ychwanegu. 'Mi oedd e'n arwr.'

'Ti'n iawn, ti'n hollol iawn,' mae Alys yn dweud, wrth dynnu 'nôl ac edrych i fy llygaid. '*Arwr*, dyna beth oedd e.' Dwi'n teimlo fod y sgwrs yn troi mewn cylchoedd, ond yn ffodus mae Alys yn symud i gofleidio rhywun arall, a dwi'n cario 'mlaen i osod y cadeiriau.

Dros y deng munud nesaf mae sawl aelod arall yn cyrraedd, a dwi'n cyffroi wrth sylweddoli bod un yn amlwg heb glywed y newyddion am Eric – mae Jeff yn ei saithdegau ac yn gofalu am ei wraig sy'n gaeth i'w gwely. Mae'n cerdded i'r ystafell gyda 'Helô' serchus a gwên ar ei wyneb, a dwi'n gwylio'n ofalus wrth i Alys fynd ag ef i ochr yr ystafell ac esbonio iddo, a'i gofleidio. Mae'n ymateb trwy wthio Alys i ffwrdd, syllu arni'n gyhuddgar, a cherdded o'r ystafell heb edrych 'nôl.

Wrth i Jeff adael mae rhywun arall yn cerdded mewn, a dwi'n gorfod eistedd i lawr yn y gadair ro'n i wrthi'n ei symud. Mae e'n edrych o gwmpas, yn anghyfforddus wrth weld pawb yn sibrwd ac yn crio. Mae'n siŵr ei fod e'n eu casáu nhw cymaint â fi. Rydyn ni ar wahân iddyn nhw, a ni yn unig sy'n gwybod am y cryfder sydd ei angen i ddod â bywyd rhywun arall i ben.

Taliesin MacLeavy. Fy arwr. Fy ysbrydoliaeth. Yr un dwi'n ei garu.

Mari

Dwi'n teimlo fy hun yn mynd yn wallgo yn y fflat yma ar fy mhen fy hun – ar dân i ddianc o'r bedair wal, ond ar yr un pryd yn ofni mynd allan. Roedd y cyflwynydd teledu fel tôn gron, yn mynd dros yr un hen ffeithiau dro ar ôl tro, yn gofyn i wahanol arbenigwyr am eu barn am lofruddiaeth Eric Esiason, a neb yn gwybod yn iawn am beth roedden nhw'n siarad.

Diffoddais y teledu, yn methu â gwylio mwy. Wnes i dipyn o ginio, gan resymu ei bod hi'n bwysig bwyta rhywbeth, a hefyd y byddai hynny'n rhoi rhywbeth i mi wneud, ond ar ôl syllu ar y frechdan am bum munud fe aeth i'r bin heb ei chyffwrdd.

Yn y diwedd, wnes i eistedd i lawr o flaen y cyfrifiadur a dod o hyd i fy ffeil nodiadau ar gyfer pennod Andreas Rubio Ortega o *Ffeil Drosedd*. Mae canolbwyntio ar yr achos hwnnw yn gwneud i lofruddiaeth Eric Esiason deimlo'n bellach i ffwrdd rhywsut, ac mae mynd i feddylfryd newyddiadurwr yn gwneud i mi deimlo 'mod i'n llwyddo i gadw pethau dan reolaeth eto. Gyda'r bennod ei hun yn chwarae yn y cefndir, dwi'n darllen trwy'r nodiadau ac yn sylwi unwaith eto cymaint y mae Taliesin yn ei ychwanegu. Wrth i mi wrando arno'n siarad, dwi'n teimlo 'mod i angen clywed ei lais go iawn, ac yn codi fy ffôn i roi galwad iddo, cyn oedi. Fe aeth pennod Ortega yn fyw mis yn ôl, os nad mwy, ond dwi'n cofio rŵan i mi gael trafferth ei golygu gan fod Taliesin wedi cyfrannu cymaint o stwff da, ei bod hi'n anodd penderfynu beth i'w ollwng. Yn y diwedd, roedd y podlediad hwn chwarter awr yn hirach na'r arfer, a hynny i gyd yn llais Taliesin, gydag ambell gwestiwn gen i fan hyn a fan draw. Krueller, Scroggs, Ortega – tair pennod gafodd eu recordio ar ôl i Taliesin ymuno fel cyfrannwr, ond hefyd dwi'n siŵr eu bod nhw ymysg y penodau gyda'r mwyaf o gyfraniad ganddo. Does bosib fod y llofrudd yn dewis pa achosion i'w hail-greu ar sail hynny?

Gyda fy ffôn yn fy llaw o hyd dwi'n galw rhif Taliesin, ond mae'n mynd yn syth i'w beiriant ateb, a dwi'n gadael neges fer ar ôl y tôn.

'Hi Tal, fi sy 'ma – alli di ffonio fi 'nôl, neu alw heibio, rôl ti gael y negas hon plis? Mae gen i rwbath eitha rhyfadd i ddangos i ti.'

Wedi gorffen yr alwad dwi'n tapio fy mysedd ar y ddesg, cyn gwneud panad arall o de, a dechrau gwrando ar gyfraniad cyntaf Taliesin i *Ffeil Drosedd*.

Taliesin

Mae Alys yn mynnu dechrau'r cyfarfod gyda munud o dawelwch. Dwi'n cofio Eric Esiason yn cynnig yr un peth i gofio am Reg Walters rai dyddiau 'nôl, a nawr fe sy'n cael ei gofio. Mae mwy yma na'r tro diwethaf – dwi'n cyfri pymtheg yn y cylch. Ar ôl tua hanner munud o wrando ar ei sniffio cyson hi a pheswch caled Graham, yr hen ddyn â'r ffon, mae'n dod â'r seibiant i ben ac yn sefyll ar ei thraed.

'Yn gynta, diolch i chi i gyd am ddod,' meddai mewn llais crynedig, 'Fel y'n ni'n gwybod, mae ein ffrind ni, Eric, yr un a'n helpodd ni i gyd, gan gynnwys fi, yn y frwydr yn erbyn y botel wedi cael ei gipio oddi arnon ni yn y ffordd fwya erchyll. 'Allwn ni ddim ond gobeithio y bydd yr heddlu yn dal yr un sy'n gyfrifol, a hynny'n fuan. Ond yn y cyfnod anodd yma fyddai Eric eisiau i ni fod yn gryf, ac i fod yn gefn i'n gilydd. Mi fydd colled fel hon yn ei gwneud hi'n fwy anodd i rai ohonon ni i wrthsefyll temtasiwn, ond fe allwch chi fod yn sicr y bydd y tri ohonon ni yma i chi.'

Mae Alys yn troi ac yn cyfeirio at y dyn a'r ddynes sy'n eistedd y naill ochr iddi – fe yn foel a chanddo lond ei fraich o datŵs, a hithau tua'r un oed ag Alys, yn methu aros yn llonydd yn ei chadair ac yn chwarae'n barhaol gyda'i gwallt du cwta. Rhaid taw'r rhein yw Josh a Beth, y ddau gynorthwyydd arall y soniodd Alys amdanyn nhw'r tro diwethaf. 'Ond dyna ddigon gen i am nawr – fyddai unrhyw un arall yn hoffi dweud gair?'

Y cyntaf ar ei draed, fel o'r blaen, yw Graham. Mae'n amlwg

ei fod yn adnabod Eric Esiason ers tipyn, ac mae'n siarad yn bwyllog ond mewn llais llawn emosiwn am eu perthynas, a sut mae'n gweld ei hun yn llithro 'nôl i afael y botel heb Eric i'w helpu. Wedi iddo orffen mae yna dawelwch lletchwith, ac mae Josh yn estyn am Graham, gyda'r fraich sy'n inc i gyd, ac yn gafael yn ei ysgwydd.

Yr un yw'r drefn wrth symud o gwmpas y cylch. Margaret, y ddynes o'r cyfarfod diwethaf oedd yn gwisgo gormod o golur, sy'n cyfaddef i'r grŵp y byddai hi'n aml yn dwyn er mwyn gallu prynu diod, gan gynnwys cymryd arian o gadw-mi-gei ei hŵyr. Eddie, gyrrwr tacsis gollodd ei drwydded ar ôl cael ei ddal yn yfed a gyrru. Fiona, mam sengl ifanc a fyddai'n dechrau yfed unwaith fod y plant wedi mynd i'r ysgol. Pob un yn esbonio sut y bu i Esiason eu helpu nhw, a nifer yn poeni y byddan nhw'n defnyddio'r botel fel ffordd o anghofio am eu colled.

Fi yw un o'r rhai olaf i siarad. Dwi'n sefyll ar fy nhraed, heb wybod yn union beth ydw i am ei ddweud.

'Fy enw i yw Ifan, a dwi'n alcoholig,' dwi'n dechrau, gan gario 'mlaen i ddefnyddio'r un ffugenw â'r tro diwethaf fues i yma. 'Dyma fy ail gyfarfod, a doeddwn i ddim yn adnabod Eric cystel â rhai ohonoch chi. Ers i mi ddod yma gynta dw i wedi yfed, ond mae bod yn rhan o'r grŵp yma yn mynd i fod yn help i mi beidio â gwneud hynny eto.' Dwi'n oedi, yn barod i eistedd ond hefyd yn teimlo y dylwn i gario 'mlaen. 'Fe es i i weld hen ffrind heddiw. Mae e wedi bod drwy gyfnod anodd yn ddiweddar, ond trwy gyfuniad o siarad a thrafod ei broblemau, a chefnogaeth rhywun mae'n ei garu, mae e mewn lle llawer gwell erbyn hyn. Dwi eisiau gwneud yr un peth – dyma ddechrau'r siarad, a dwi'n gobeithio 'mod i wedi dod o hyd i rywun i'w garu. Dwi ddim yn gwybod os ydy hi – Mari yw ei henw – yn teimlo'r un peth, ond, wel, gobeithio ei bod hi.'

Dwi'n gorffen y frawddeg yn gloff, ac yn eistedd nôl i lawr. Mae ambell un o gwmpas y cylch yn rhoi clap fach cyn i ni symud 'mlaen.

E

Dwi wedi rhewi, a ddim yn sylwi bod y cyfarfod wedi dod
i ben tan fod Alys yn dechrau casglu'r cadeiriau a'u gosod
nhw'n drefnus yng nghornel yr ystafell. Mae fy nghorff cyfan
yn crynu. Taliesin, fy myd cyfan, ar ôl y cwbwl dwi wedi ei
wneud, yn cyhoeddi o flaen pawb ei fod yn caru rhywun
arall. Ac nid dim ond rhywun arall – Mari, y bitsh fach 'na
sy'n cyflwyno *Ffeil Drosedd*, yr un sy'n gofyn cwestiynau twp
ac yn torri ar draws Taliesin. Dwi wedi lladd tri o bobol iddo
fe. Tri.

Mae Alys yn sylwi 'mod i dal heb godi ac yn dod draw ata i.

'Ti'n OK?' gofynna. Mae'n rhoi gwên fach dosturiol, a dwi'n
syllu ar ei dant, yr un sydd â chornel ar goll. Dwi'n teimlo fel
rhoi dwrn yn y geg yna, a'i thagu hi o flaen pawb. Pam lai?
Beth sydd i'w golli nawr?

Ond dydw i ddim.

O gornel fy llygad gwelaf Taliesin yn gadael yr ystafell.

'Ydw, iawn,' atebaf Alys, gan godi a cherdded yn syth allan
ar ei ôl.

Taliesin

Ar ôl dringo'r grisiau a gadael adeilad y llyfrgell drwy'r brif fynedfa, dwi'n sefyll yn yr awyr iach ac yn anadlu'n ddwfn sawl gwaith. Mae'n rhaid 'mod i wedi colli signal o dan ddaear, oherwydd unwaith 'mod i allan o'r drws mae'r ffôn yn fy mhoced yn gadael i mi wybod bod gen i ddwy neges i'w darllen. Mae'r cyntaf wrth MJ.

Wedi bod yn meddwl am ebyst y llofrudd… Wyt ti'n siŵr taw i Mari ma'n nhw, a dim i ti?

Dwi'n syllu ar y neges am dipyn. Mae MJ'n gywir – does dim byd i ddweud fod y negeseuon i Mari. Ro'n i'n cymryd eu bod nhw, gan taw ei phodlediad hi yw *Ffeil Drosedd*, ond dydy ei henw hi ddim ar un o'r negeseuon, a dydy'r llofrudd ddim yn cyfeirio ati hi'n benodol o gwbl. Tra 'mod i'n dal i feddwl am awgrym MJ, dwi'n symud 'mlaen at yr ail neges. Llais peiriant ateb yw hwn, yn dweud bod yna neges yn aros yno i mi. Mari sydd wedi ei adael, dwi'n siŵr – Mari yw'r unig un sy'n gadael negeseuon peiriant ateb.

'Hi Tal, fi sy 'ma – alli di ffonio fi 'nôl, neu alw heibio, rôl i ti gael y negas hon plis? Ma gen i rwbath digon rhyfadd i'w ddangos i ti.'

Yn chwilfrydig am beth sydd gan Mari i mi, dwi'n gwasgu'r botwm i'w ffonio hi, ac mae hithau'n ateb ar ôl un caniad.

'O hi Tal, ti'n OK?'

'Hi Mari – newydd glywed dy neges di. Beth yw'r peth rhyfedd yma sydd gen ti i fi?'

E

Ar ôl dilyn Taliesin allan o'r adeilad, heb unrhyw gynllun pendant, dwi'n ei weld yn sefyll o 'mlaen i, yn edrych ar ei ffôn. Dwi'n penlinio i lawr ac yn esgus clymu fy nghareiau rhag ofn ei fod e'n troi ac yn fy ngweld i, ond mae'n syllu ar y sgrin am sbel, heb dalu sylw i unrhyw beth o'i gwmpas. Pan mae'n codi'r ffôn i'w glust dwi'n ddigon agos i glywed ei eiriau cyntaf. 'Hi Mari'. Dwi bron iawn ag ildio i'r temtasiwn o gipio'r ffôn o'i law a'i daflu ar y llawr, ond dwi'n aros yn fy nghwrcwd, yn chwarae gyda fy nghareiau ac yn ceisio clustfeinio ar ochr Taliesin o'r sgwrs.

'OK.'

Saib.

'Iawn.'

Saib hirach.

'Dim o gwbl – a dweud y gwir ma hyn i gyd yn dechrau gwneud mwy o synnwyr nawr. Wyt ti adre?'

Saib byr iawn.

'Reit – ddoi draw i ni gael trafod yn iawn. Ac wedyn fe fydd yn rhaid i ni ffonio'r heddlu.'

Un saib arall.

'Na, mae'n well i *fi* eu ffonio nhw. Mae Siwan Mathews yn dditectif da, mi wneith hi wrando. Wela i di mewn munud.'

Gyda hynny mae Taliesin yn gorffen yr alwad ac yn hel set o allweddi o'i boced, gan ddechrau cerdded yn bwrpasol i gyfeiriad Stryd y Baddon. Dwi'n cymryd ei fod yn cerdded at ei gar, ac yn ffodus i mi dyna lle wnes i barcio hefyd, felly dwi'n ei ddilyn yn ofalus. Ditectif Siwan Mathews – dwi'n gwneud yn siŵr 'mod i'n cofio'r enw yna, ac mae hedyn o gynllun yn dechrau tyfu yn fy meddwl.

Siwan

O'n i'n amau na fydde gan Mrs Watts, y fenyw wnaeth ddod o hyd i gorff Eric Esiason, unrhyw beth defnyddiol i'w ddweud wrthon ni.

Er gwaetha hynny mi wnes i wrando arni'n esbonio sut y bydde hi'n mynd â'r ci am dro yr un amser a'r un ffordd bob bore, a bydde Seren bron byth ar dennyn gan nad yw hi'n crwydro'n rhy bell. Fel arfer, mi fydden nhw'n cerdded yn syth heibio'r llecyn parcio felly roedd hi'n anarferol i Seren ddiflannu, ac yn fwy anarferol fyth ei bod hi heb ddod 'nôl er bod Mrs Watts yn galw ei henw. Yn y diwedd, bu'n rhaid i'r hen ddynes fynd ar ôl yr ast, a dyna pryd y gwelodd hi'r corff a galw'r heddlu'n syth.

'Mi o'n i'n nyrs am dri deg o flynyddoedd, a dyma'r peth gwaetha weles i erioed,' dywedodd. 'Gwaed bob man, a'i ben e'n gorwedd yn llipa ar y llawr, y croen yn welw i gyd, ac un llygad yn syllu arna i'n wag', ac wrth iddi gofio'r olygfa fe sylwes i ar y cwpan te yn crynu yn ei llaw wrth iddi ei godi i'w gwefusau. Ro'n i'n teimlo drosti, ond ar ôl sgwrsio am ryw chwarter awr ro'n i'n gwbod o brofiad 'mod i'n gywir, ac nad oedd gan Mrs Watts unrhyw beth fyddai o ddefnydd i ni yn yr ymchwiliad. Yn fuan wedi hynny, fe wnaethon ni ddirwyn y sgwrs i ben, ac wedi gwneud yn siŵr fod rhywun ganddi i gadw cwmni iddi, a chydymdeimlo gyda hi unwaith eto am orfod mynd trwy brofiad mor erchyll, fe wnaethon ni adael i fynd i gyfweld â Kim Esiason, gwraig y diweddar Eric.

Ma Kim Esiason bellach yng ngofal doctoriaid Ysbyty Bronglais yn dioddef o sioc, ond yn barod i helpu ac i ateb cwestiynau. Ar ôl gwasgu'r car heibio'r dorf o newyddiadurwyr sydd bellach wedi casglu ar ffyrdd cul Pontarfynach, ma'r siwrne i'r ysbyty yn un dawel. Dwi'n gwasgu botymau'r radio nes 'mod i'n dod o hyd i orsaf sy'n chwarae cerddorddiaeth glasurol, ac yn gadael i'r nodau lenwi'r car wrth i mi feddwl. Dwi'n teimlo'r pwysau i ddatrys yr achos yma'n gyflym ac yn daclus yn drwm ar fy ysgwyddau, ac mor belled does dim llawer i'n pwyntio ni i'r cyfeiriad cywir.

Dim ond wrth i ni gerdded drwy ddrysau'r ysbyty dwi'n cofio bod Taliesin wedi ceisio cael gafael arna i gynne. Dwi'n ystyried rhoi caniad 'nôl iddo, ond dwi'n ymwybodol fod y cyfweliad gyda Mrs Esiason yn debygol o brofi'n un anodd, a dwi'n gwthio Taliesin o fy meddwl am yr eildro.

Ma Marshall yn mynd i siarad gyda'r dyn ifanc wrth y ddesg, ac yn derbyn cyfarwyddiadau ar sut i gyrraedd stafell Kim Esiason. Dwi'n falch i weld eu bod nhw wedi ei rhoi hi mewn stafell ar ei phen ei hun, gydag iwnifform sy'n arbenigo mewn delio gyda phobol sy'n mynd trwy drawma yn eistedd gyda hi.

Er bod pob ymdrech wedi ei wneud i greu stafell gysurus, groesawgar, ma 'na naws oeraidd iddi o hyd. Ma golygfa drawiadol dros y tai cyfagos ond, fel ymhob stafell ysbyty, y canolbwynt yw'r gwely, ac yno ma Kim Esiason yn eistedd, yn cofleidio ei choesau'n dynn nes bod ei gên bron yn pwyso ar ei phengliniau. Ma'r sioc a'r galar o golli ei gŵr mor sydyn, ac o dan amodau mor erchyll, yn amlwg ar ei hwyneb, ond er gwaetha hynny ma'n hawdd gweld fod Kim Esiason yn ddynes drawiadol o brydferth. Petawn i'n gorfod dyfalu, mi fyddwn i'n dweud ei bod hi'n dod yn wreiddiol o un o wledydd De-ddwyrain Asia – Fietnam efallai, neu Wlad Thai. Mae'i gwallt hir yn ddu ac yn syth, a'i chroen yn berffaith, fel croen dol.

Ma hi'n troi i'n hwynebu ni wrth i ni gerdded i'r stafell, llwybrau'r dagrau'n glir ar ei gruddiau. Mi fyddwn i'n amau ei bod hi o leia ddeng mlynedd yn iau na'i gŵr.

'Mrs Esiason?' galwaf, gyda thinc tosturiol yn fy llais. 'Ditectif Siwan Mathews ydw i, a dyma Ditectif Emlyn Marshall.'

Ma Kim Esiason yn troi at yr iwniffom sy'n dal ei llaw, ac ma honno'n rhoi gwên gefnogol iddi.

'Ma'n ddrwg iawn gen i am eich colled, ac fe alla i eich sicrhau chi ein bod ni'n gweithio i ddal y sawl sy'n gyfrifol,' dwi'n cario 'mlaen. 'Fyddai modd i ni siarad gyda chi am dipyn bach?'

Ma'r ddynes yn y gwely'n ochneidio ac yn nodio'i phen. Dwi'n eistedd mewn cadair wag wrth ochr y gwely, ac ma Marshall yn cymryd yr unig gadair arall sy'n yr ystafell, yn erbyn y wal bella.

'Diolch – wnewn ni ddim eich cadw chi'n rhy hir. I ddechre, 'te, beth am i chi ddweud wrtha i sut wnaethoch chi gwrdd â'ch gŵr?' gofynnaf. O fy mhrofiad i o sefyllfaoedd fel hyn ma'n well gadael i'r sawl sydd mewn galar gychwyn trwy siarad am amseroedd hapusach yn y gorffennol, yn hytrach na gorfod neidio'n syth i fanylion erchyll y presennol.

Ma Kim Esiason yn clirio'i gwddf ac yn dechre siarad mewn llais gwan.

'Ddes i i Aberystwyth, i'r brifysgol, tua chwe blynedd yn ôl i astudio Seicoleg. Rhan o'r cwrs oedd astudio seicoleg dibyniaeth, ac un diwrnod daeth Eric i ddarlithio i ni. Roedd yna rywbeth amdano fe, roedd e mor angerddol am ei waith, mor awyddus i helpu pobol oedd wedi colli popeth – eu teuluoedd, eu swyddi, eu hunan-barch. Wnes i aros i siarad gyda fe ar ddiwedd y ddarlith, ac fe wnaeth e ofyn a fyddwn i'n hoffi mynd am goffi, a... wel, dyna sut ddechreuodd popeth.'

Ma Kim Esiason yn sychu dagrau o gornel ei llygaid gyda darn o dishw y mae'n gafael yn dynn ynddo.

'Allwch chi ddweud wrtha i pa fath o waith oedd eich gŵr yn ei wneud yn ddiweddar?' gofynnaf.

'Roedd e'n gwnselydd dibyniaeth – alcoholiaeth yn benna. Roedd e'n rhedeg y grŵp AA lleol, a hefyd yn gweld pobol yn unigol.'

'Iawn, diolch yn fawr,' atebaf. Fe fyddai'r cwestiynau nesa'n anoddach. 'Ddwedodd eich gŵr a oedd e'n cael trafferthion gydag unrhyw un o gwbwl? Unrhyw un yn ymddwyn yn fygythiol er enghraifft?'

Ochneidiodd Kim Esiason eto.

'Dydy... doedd Eric ddim yn siarad llawer am ei waith gyda fi. Roedd e'n credu'n gryf y dyle fe gadw pethe'n gyfrinachol rhyngddo fe a'r person oedd yn cael ei drin. Ond na, ches i ddim yr argraff ei fod e'n cael trafferth gydag unrhyw un yn benodol.'

'Ac oedd eich gŵr yn defnyddio ffôn gwahanol ar gyfer ei waith proffesiynol?' gofynnaf. Ma Mrs Esiason yn edrych arna i mewn penbleth.

'Beth chi'n feddwl?'

'Oedd gan eich gŵr chi un ffôn symudol personol, ac un arall ar gyfer ei waith?'

'Wel nag oedd – dim ond un ffôn oedd ganddo fe, ac mi fydde fe'n rhannu rhif hwnnw â phawb. Fydde pobol yn ei ffonio fe bob awr o'r dydd a'r nos... Pam chi'n gofyn?...'Chi wedi dod o hyd i ffôn arall?'

Does gen i ddim dewis ond dweud y gwir wrthi.

'Roedd gan eich gŵr un ffôn yn ei boced ac un arall yn y car.'

Ma Kim Esiason yn syllu arna i am dipyn, yna ma'i gwefus yn dechre crynu, ac ma hi'n wylo mewn i'w hances.

'Wnaeth e addo...' meddai, y geiriau yn aneglur trwy'r hances. 'Ar ôl tro diwetha, wnaeth e addo... A nawr mae e wedi mynd...'

Ma'r iwnifform wrth ochr y gwely yn codi ac yn mwytho gwallt y ddynes wrth iddi grio. Dwi'n rhoi munud iddi dawelu, ond ma 'na bwysau amser, felly ma'n rhaid i fi gario 'mlaen gyda'r cyfweliad.

'Beth oedd eich gŵr wedi addo, Mrs Esiason? Beth ddigwyddodd y tro diwetha?'

Mae hi'n troi ata i, y dagrau wedi peidio rhywfaint a sbarc o ddicter yn ei llygaid.

'Roedd Eric yn ddyn da mewn lot o ffyrdd, Ditectif, ond roedd ganddo fe... wendidau. Y ddiod oedd y cynta, ond wedi concro hwnnw fe symudodd e 'mlaen at ferched. Dwy dwi'n gwbod amdanyn nhw ers i ni fod gyda'n gilydd. Wnes i weld y negeseuon ar ei ffôn y tro cynta, felly wnaeth e brynu ail ffôn pan ddechreuodd e weld y nesa. Pan ddes i i wybod am honno roeddwn i ar fin ei adael e, ond fe wnaeth e ofyn am un cyfle ola, ac addo na fydde neb arall byth eto... Ai dyna lle roedd e neithiwr? Yn cwrdd â hi?'

'Dwi wir ddim yn gwbod, Mrs Esiason. Ond fe fyddwn ni'n dilyn pob trywydd yn ofalus ac yn drylwyr iawn, fe alla i eich sicrhau chi o 'nny.'

Ma cwrdd â meistres yn rheswm da i ddiflannu i lecyn parcio ym Mhontarfynach yn hwyr yn y nos, meddyliaf. Y cwestiwn yw, beth yn union ddigwyddodd wedyn?

E

Roedd dilyn Taliesin drwy'r dre yn ddigon hawdd. Doedd dim gormod o draffig, ac mae'n gyrru yn anarferol o araf. Mi wnes i ddechrau amau ei fod e wedi sylweddoli 'mod i'n ei ddilyn, a'i fod e'n gyrru'n araf yn fwriadol, ond pan barciodd e'r car ar un o'r strydoedd cefn ar dop y dre edrychodd e ddim 'nôl o gwbl wrth ddringo allan. Yn ffodus dyma'r car o'i flaen e'n gadael wrth i mi gyrraedd, ac fe wnes i barcio'n frysiog yn y lle gwag a cherdded yn gyflym ar ôl Taliesin.

Wrth droi cornel dwi'n ei weld e'n sefyll tu allan i adeilad ar Heol y Bont, un o'r tai mawr sydd wedi cael ei addasu'n fflatiau. Mae'n gwasgu un o'r botymau wrth ymyl y drws, yn aros am dipyn ac yna'n gwthio'r drws ar agor ac yn diflannu i mewn i'r adeilad. Dwi'n cerdded yn hamddenol ar ei ôl, yn edrych ar y panel o fotymau, pob un botwm ag enw ar ei bwys. Fflat 2 – M Powys. Dyna hi.

Heb oedi'n rhy hir, rhag ofn 'mod i'n dechrau edrych yn amheus, dwi'n cario 'mlaen i gerdded heibio'r adeilad ac yn mynd mewn cylch mawr nes i mi gyrraedd 'nôl at y car.

Dwi angen ychydig o amser i feddwl am y cam nesa.

Taliesin

Mae drws fflat Mari ar agor pan dwi'n cyrraedd top y grisiau. Mae Mari'n eistedd ar bwys ei chyfrifiadur yn astudio rhywbeth ar y sgrin yn ofalus, ond mae'n troi ac yn gwenu wrth i mi gerdded mewn.

'Tal – grêt, ti yma. Tyrd, stedda. Gest ti gyfla i feddwl am be ddudus i? Mae o'n *crazy*, ond dwi'n siŵr 'mod i'n iawn.'

Roedd Mari wedi amlinellu ei syniad ar y ffôn, fod y llofrudd yn dewis pa achosion i'w hail-greu ar sail pa benodau dwi'n cyfrannu fwyaf iddyn nhw. Roedd e'n swnio'n annhebygol a dweud y lleiaf, ond law yn llaw â neges MJ yn awgrymu falle fod y llofrudd yn ceisio dal fy sylw i, yn hytrach na Mari, mae'r cwbwl wedi dechrau gwneud synnwyr.

Dwi'n esbonio hyn i Mari, ac mae hi'n edrych arna i'n gegagored, cyn brysio i ddod o hyd i'r ebyst a'u darllen nhw eto.

'*Oh my god*, ti'n iawn. Sut wnes i fethu hynna?' Mae Mari'n troi oddi wrth sgrin y cyfrifiadur i edrych arna i, ac yn estyn ei llaw a'i rhoi ar fy mhen-glin. 'Ma hyn yn newid popeth, wrth gwrs. Oes gen ti unrhyw syniad pwy allai'r person yma fod?'

'Dim o gwbwl,' atebaf. Nawr 'mod i'n weddol siŵr nad yw Geraint Ellis unrhyw beth i wneud â'r achos, does gen i ddim syniad o gwbl pwy allai fod yn gyfrifol. Mae yna ddigon o bobol dwi wedi helpu i'w hanfon i'r carchar, ond oes yna un fyddai'n mynd i'r eithaf yma? A beth bynnag, mae'r negeseuon yn awgrymu cariad, hyd yn oed obsesiwn, yn hytrach na dial a chasineb.

'OK, wel, sbia,' mae Mari'n esbonio, gan droi'n ôl at y cyfrifiadur ond yn cadw ei llaw ar fy mhen-glin am eiliad neu ddwy yn hirach. 'Dwi wedi bod yn gwneud ychydig bach o waith ymchwil, yn trio amcangyfrif pa benodau ti'n cyfrannu atyn nhw fwya, ac mae gen i restr fer o bump... Mae penodau Scroggs, Krueller ac Ortega yno, a dwy bennod arall hefyd, yli.'

Dwi'n tynnu fy nghadair yn agosach at y ddesg, nes 'mod i'n pwyso dros ysgwydd Mari i ddarllen yr enwau ar y sgrin – Bachmann a Kowalkzyk.

Mab i deulu academaidd o wlad Pwyl oedd Johan Bachmann. Pan oedd yn fabi fe fu'n rhaid i'w rieni ffoi o'u mamwlad ddyddiau cyn ymosodiad y Natsïaid yn 1939 am fod y tad, dyn o dras Almaenig o'r enw Linus Bachmann, wedi beirniadu Hitler yn hallt yn y cyfryngau ar y pryd. Ymgartrefodd y teulu yn Eastbourne yn ne Lloegr, ac er iddyn nhw gael eu croesawu ar y dechrau, plentyndod unig oedd un Johan. Ar sail ei acen estron fe fyddai'n cael ei alw 'yr Almaenwr bach' ac yn cael ei fwlio'n ddyddiol, nes y gwnaed y penderfyniad i roi stop i'w addysg ffurfiol er mwyn i'w fam ei addysgu adre, a hithau'n gweld eisiau ei chartre ac yn ddig gyda'i gŵr am orfodi'r teulu bach i symud. Amsugnodd y Bachmann ifanc y chwerwder hwn, a thros y blynyddoedd fe dyfodd yn ddyn ifanc oedd wedi magu casineb tuag at ei genedl fabwysiedig. Ei unig ddihangfa o'r cartre oedd mynd allan i gerdded ar glogwyni Beachy Head ar gyrion Eastbourne, ac mi fyddai'n diflannu am oriau ar ei ben ei hun, yn gadael y tŷ yn oriau mân y bore ac yn dychwelyd ar ôl iddi dywyllu.

Un diwrnod ym mis Medi 1959, tra oedd yn eistedd ar ochr

y clogwyn yn syllu allan dros y môr, daeth hen ddynes o'r enw Beryl Partridge ato, yn poeni ei fod yn ystyried neidio – roedd y clogwyni yn adnabyddus fel lleoliad y byddai pobol yn mynd i gyflawni hunanladdiad yno, yn enwedig yn y blynyddoedd anodd ar ôl diwedd y rhyfel. Esboniodd Bachmann yn hwyrach i don o ddicter ddod drosto, am fod Mrs Partridge wedi meiddio ymyrryd yn ei lonyddwch a cheisio ei reoli, ac ar ôl ffraeo gyda hi fe wthiodd hi dros y clogwyn. Dywedodd wedyn i'r weithred hon roi teimlad o ryddhad iddo nas teimlodd erioed o'r blaen, fel petai ganddo elfen o reolaeth ar ei fywyd o'r diwedd.

Beryl Partridge oedd y cyntaf o chwech o bobol i Bachmann eu lladd yn yr un modd dros gyfnod o bedwar mis, pob un yn dod i geisio helpu'r dyn ifanc oedd yn sefyll ar ochr y clogwyn. Yna, un diwrnod niwlog yn mis Chwefror 1960, ysgrifennodd lythyr hir at ei dad yn cyfaddef popeth roedd wedi ei wneud a gadael y llythyr ar ei wely, cyn gofyn i'w fam ymuno ag e am dro. Daethpwyd o hyd i gyrff y ddau ar waelod y clogwyni y bore wedyn.

Fel mae'n digwydd, roedd gan yr enw arall ar restr Mari, Bartek Kowalkzyc, gysylltiad pell gyda theulu Johan Bachmann. Roedd ei dad-cu yn adnabod Linus Bachmann cyn iddo ffoi gyda'i deulu cyn y rhyfel, ond fe arhosodd y teulu Kowalkzyc yng Ngwlad Pwyl trwy gydol y rhyfel a thu hwnt, a phan anwyd Bartek yn ninas Sopot yn 1968 roedd y wlad yn rhan o'r Bloc Dwyreiniol, yn drwm dan ddylanwad yr Undeb Sofietaidd. Roedd Bartek yn ddisgybl gweithgar ond di-fflach yn yr ysgol, gyda'i frid ar fod yn feddyg, ond er iddo ennill lle ar gwrs meddygaeth yn y brifysgol, profodd y gwaith yn rhy anodd iddo, a methodd arholiadau'r flwyddyn gyntaf. Er gwaethaf hyn, roedd yn benderfynol o aros ym maes iechyd, ac fe gafodd swydd yn gweithio yn fferyllfa ysbyty Sopot, lle oedd ganddo'r modd i gael gafael ar nifer helaeth o gyffuriau gwahanol.

Gŵr o'r enw Jan Nowak, un o ffrindiau Kowalkzyc, oedd y cyntaf i gael ei ladd ganddo. Roedd y ddau ddyn yn ffrindiau. Porthor oedd Nowak yn yr ysbyty ac ef oedd yn gyfrifol am ddod â'r bocsys cyffuriau i'r fferyllfa lle byddai Kowalkzyc yn eu trefnu a'u storio. Cafwyd hyd i Nowak yn farw un bore yn mis Rhagfyr 1988 yn ei gartre, yn gorwedd ar y llawr o flaen ei gadair freichiau yn ei fflat fechan ar gyrion Sopot. Dangosodd y profion ar ei gorff ei fod wedi marw ar ôl cael ei wenwyno gan ddos anferth o arsenig.

Doedd dim rheswm amlwg pam y llofruddiwyd Nowak gan Kowalkzyc – roedd y ddau'n ffrindiau heb fod yn arbennig o agos, a doedd dim awgrym o ddrwgdeimlad na dicter rhyngddynt. Er bod Kowalkzyc yn gweithio yn y fferyllfa ac yn gallu cael gafael ar yr arsenig, doedd neb wedi ei amau'n syth. Doedd y gwenwyn ddim yn anodd cael gafael arno yng Ngwlad Pwyl ar y pryd – byddai'n aml yn cael ei gynnwys mewn gwenwyn i ladd pryfed neu lygod mawr, a châi ei werthu gan siopau yn reit gyffredin.

Mae sawl un wedi amau taw rhyw fath o arbrawf oedd marwolaeth Nowak – cyfle i Kowalkzyc weld a oedd cymryd bywyd rhywun arall yn ei gyffroi. Mae ambell un yn awgrymu taw ymdrech gan Kowalkzyc i brofi ei fod yn fwy clyfar a chyfrwys na phawb arall, er gwaethaf ei fethiant i fod yn feddyg, oedd tu ôl i'r weithred, ond y gwir yw does neb yn gwybod yn iawn hyd heddiw. Erbyn i'r heddlu weld patrwm yn y nifer o farwolaethau oedd yn cael eu hachosi gan arsenig roedd Kowalkzyc wedi lladd tri ar hugain o bobol. Ar ôl llofruddiaeth Nowak fe fu'n dipyn mwy gofalus, yn defnyddio ei swydd yn y fferyllfa i roi tabled neu ddau o arsenig ym mhresgripsiwn y cleifion hynny oedd yn dioddef o salwch difrifol yn barod – cancr yn benodol – fel bod eu marwolaethau ddim yn gwbl annisgwyl, heb dynnu gormod o sylw.

Pan sylwodd y prif fferyllydd fod stoc arsenig yr ysbyty yn is na'r disgwyl, cafodd Kowalkzyc ei holi gan yr heddlu, ac fe gyfaddefodd yn syth, gan gynnig rhestr gyflawn o'r sawl yr oedd wedi eu gwenwyno. Ar ôl hynny, gwrthododd ddweud gair pellach i esbonio na cheisio cyfiawnhau ei weithredoedd, dim mewn cyfweliadau gyda'r heddlu nac yn y llys, ac yn ôl y sôn fe dreuliodd dros dri deg mlynedd yn y carchar cyn marw o drawiad sydyn ar y galon heb dorri gair â neb.

Os yw Mari'n gywir, fydd y llofruddiaethau nesaf yn dilyn patrymau Kowalkzyc a Bachman.

'Be 'di'r cam nesa, 'ta?' gofynna, gan droi i edrych arna i.

'Does dim dewis nawr. Mae'n bryd i ni siarad â'r heddlu,' atebaf.

Siwan

Ma heddiw wedi bod mor hectig dwi heb gael cyfle i fwyta unrhyw beth drwy'r dydd, felly ma'r darn o gacen moron yn tynnu dŵr o 'nannedd i wrth i fi ei gario tua'r bwrdd gwag ym mhen pella'r ffreutur. Dwi'n eistedd i lawr ac yn rhoi'r hambwrdd gyda'r gacen a'r te ar y bwrdd, ac yn ochneidio. Ma'r awyr tu allan wedi dechre tywyllu – synnwn i ddim fod 'na storm ar y ffordd.

Noson hwyr arall – ma'n eitha posib na fydda i'n cyrraedd adre tan yr oriau mân, os o gwbwl, a fydd hynny'n achos ffrae arall gyda Iolo ar ryw bwynt dros y dyddie nesa. Ma popeth fel tase fe'n arwain at ffrae rhyngddon ni'n ddiweddar.

Gan geisio anghofio am bopeth arall am funud neu ddwy, dwi ar fin cnoi mewn i'r gacen pan ma'n ffôn i'n dechre canu.

'Fuck. Ing. Hell,' dwi'n hisian o dan fy anadl, ac yn estyn y ffôn i weld pwy sy'na. Pan welaf enw Taliesin ar y sgrin dwi ar fin gwasgu'r botwm i anfon yr alwad i'r peiriant ateb ond dwi'n oedi. Dwi wedi ei anwybyddu fe unwaith, a dyw Taliesin ddim y math o berson sy'n ffonio sawl gwaith mewn diwrnod os nad oes ganddo fe reswm da. Dwi'n derbyn yr alwad.

'Hi Taliesin, popeth yn iawn?' gofynnaf, gan godi'r gacen o'r plât a bwyta llond ceg ohoni.

'Helô Siwan. Gwranda, o'n i eisiau gair am lofruddiaeth Eric Esiason.'

'OK, wel gwranda, Taliesin, ma pethe'n brysur uffernol 'ma ond...' dwi'n dechre ateb, gan boeri briwsion i bob man.

'A llofruddiaeth Reg Walters, gan taw'r un person laddodd nhw,' ma Taliesin yn ei ychwanegu, a dwi'n tawelu'n syth.

Beth ddiawl? Dim ond rhyw hanner amau bod cysylltiad rhwng y ddau achos o'n i, beth ma Taliesin yn ei wybod am hyn?

'A hefyd llofruddiaeth Rosa Krajicek,' meddai, cyn i fi allu ymateb.

'Beth ti'n... pwy ddiawl yw Rosa Krajicek?' gofynnaf, gan geisio llyncu'r belen o gacen sy'n llenwi fy ngheg.

'Dynes gafodd ei llofruddio wythnos ddiwetha yng Nghaernarfon, gan yr un person laddodd Reg Walters ac Eric Esiason.' Ma fe'n ateb mewn llais ffeithiol, di-lol.

'A shwt wyt ti mor siŵr o hynny?' gofynnaf drachefn.

'Wel...' ma Taliesin yn oedi nawr. 'Wel, oherwydd mae'r llofrudd wedi cysylltu gyda fi. Sawl gwaith, fel mae'n digwydd.'

'Taliesin... wyt ti...?' Dwi eisiau gofyn a yw e wedi bod yn yfed, ond alla i ddim meddwl am y geiriau iawn. 'Ti'n jocan?' gofynnaf yn y diwedd.

'Jocan?' ma fe'n ateb, ar ôl saib o eiliad neu ddwy. 'Nagw, wrth gwrs 'mod i ddim yn jocan.'

Wrth gwrs ei fod e ddim yn jocan. Dyw Taliesin byth yn jocan.

'Gad i fi esbonio. Ti'n cofio 'mod i'n cyfrannu i *Ffeil Drosedd*, y podlediad?'

Dwi'n gwthio'r gacen o'r neilltu, wedi colli pob chwant am fwyd. Fe alla i deimlo pen tost yn dechre tu ôl fy llygaid wrth i mi ddychmygu sut fydd Saunders yn ymateb i'r datgeliad hwn.

Taliesin

Dwi'n rhannu'r wybodaeth â Siwan, o'r ebost cyntaf gyda'r stori am farwolaeth Rosa Krajicek, i ddarganfyddiad Mari am sut mae'r llofrudd yn dewis pa achosion i'w hefelychu. Dwi'n gadael ambell beth allan, gan gynnwys y ffaith 'mod i wedi mynd i chwilio am E yn y cyfarfodydd AA – alla i ddim dychmygu y byddai Siwan yn hapus am hynny. Ac wrth gwrs, dwi ddim yn dweud gair am yr hyn wnes i ei gyfaddef wrth Mari yn y car, am Chris Kedward a Brick Wall. Serch hynny dwi'n siarad yn gyson am bron i ddeng munud ac erbyn i mi orffen mae fy ngheg yn sych, felly gofynnaf i Mari am ddiod o ddŵr.

'Gyda phwy wyt ti'n siarad?' mae Siwan yn mynnu'n syth, y peth cyntaf iddi ddweud ers tipyn.

'Mari, mae hi yma gyda fi,' atebaf.

'OK, Taliesin – gwranda, dwi ishe i ti ddod mewn i'r orsaf nawr, y funud 'ma. Alla i ddim credu bo ti 'di cadw'r wybodeth hyn i ti dy hunan, ac os ti'n meddwl bo fi'n *pissed off* dychmyga sut fydd Saunders yn ymateb. Beth ddiawl o't ti'n meddwl o't ti'n neud?'

Mae hyn wedi croesi fy meddwl i eisoes, ac er nad ydy Saunders yn fos arna i bellach dwi ddim yn edrych 'mlaen i orfod esbonio iddi.

'Ie, iawn,' atebaf. 'Ni ar ein ffordd.'

'Na, Taliesin,' mae Siwan yn ateb yn syth. 'Dim ond ti.'

'Ond mae Mari wedi…' dwi'n dechrau dadlau, ond mae Siwan yn torri ar fy nhraws.

'Na. Wnewn ni siarad gyda Mari rywbryd eto, ond mae angen i ni fynd trwy bopeth yn fanwl gyda ti gynta. Allwn ni ddim tynnu newyddiadurwraig i ganol hyn i gyd, dim eto. Ti'n sylweddoli faint o sylw ma achos Esiason yn ca'l ar y cyfrynge, Taliesin? Ma fe'n bobman – a ma hynna *cyn* iddyn nhw ddechre amau bod 'na achosion eraill. Na, fel ddwedes i, fe wnewn ni siarad gyda Mari mewn da bryd ond allith hi *ddim* dod mewn gyda ti nawr. *No way*. Ti'n deall?'

Fe alla i glywed bod dim pwynt dadlau gyda Siwan.

'Iawn, ydw,' atebaf. 'Fydda i yn yr orsaf o fewn deng munud.'

'OK. Dere'n syth ata i. Wna'i siarad gyda Saunders yn y cyfamser.'

Mae Siwan yn gorffen yr alwad, a dwi'n troi at Mari, ac mae hithau'n syllu arna i'n ddisgwylgar.

'Wel?' gofynna.

'Wel, mae hi eisiau i fi fynd i'r orsaf yn syth. Ond dim ond fi – am nawr.'

Mae Mari'n edrych arna i mewn penbleth.

'Ond… pam dim ond ti?' gofynna.

'Proses. Rhaid dilyn y rheolau,' dwi'n ceisio esbonio gan godi fy ysgwyddau. 'Sori. Ond fe fyddan nhw eisiau siarad gyda ti cyn bo hir hefyd.'

'OK,' mae Mari'n ateb, yn amlwg wedi ei siomi. 'Ond wnei di gadw mewn cysylltiad? A chadw'n saff?'

'Wrth gwrs,' atebaf. 'Ac mi fydda i 'nôl cyn gynted ag y galla i.'

Siwan

Ma'r te yn llugoer erbyn hyn, ond dwi'n cymryd cegaid ohono fe beth bynnag. Er 'mod i wedi gweld eisiau cyfraniad unigryw Taliesin ers iddo adael, dwi'n gandryll gyda fe am gadw'r wybodaeth yma iddo'i hunan cyhyd.

Gan godi o'r bwrdd dwi'n dechre meddwl sut i esbonio'r datblygiad diweddara yma i Saunders, ond wrth i mi adael y ffreutur a cherdded i gyfeiriad ei swyddfa dwi'n oedi, ac yn mynd i swyddfa Sarjant Tom Savage, pennaeth yr adran iwnifform, yn lle hynny.

'Ditectif Mathews,' ma fe'n fy nghyfarch ar ôl i mi roi cnoc ar ei ddrws. Ma Savage yn ddyn mawr, cryf a fuodd yn rhan annatod o ail reng tîm rygbi'r dre am flynyddoedd. 'Sut alla i eich helpu chi?'

'Ydy'ch iwnifform chi'n dal gyda Mrs Esiason yn yr ysbyty?' gofynnaf.

'PC Benjamin? Ydy, mi ddylai hi fod yna o hyd. Pam?'

'Fyddech chi'n gallu cysylltu gyda hi i weld oes gan Mrs Esiason fanylion unrhyw un roedd ei gŵr hi'n gweithio gyda nhw yn y cyfarfodydd AA? Mae angen i ni gael gwbod pwy oedd yn mynychu'r grŵp os allwn ni.'

'Ie, dim problem,' ma Savage yn ateb. 'Wna' i drio cael gafael arni nawr.'

'Grêt, diolch – cyn gynted â bod ateb, gadewch i fi wbod, fydda i wrth fy nesg.' Ma Savage yn codi ei fawd, a dwi'n gadael ac yn mynd yn syth i swyddfa Saunders. Ma'i drws hi ar agor, ond dwi'n rhoi cnoc ysgafn ac yn aros iddi godi ei phen o'i desg. Ma golwg wedi blino arni.

'Mathews,' meddai, wrth dynnu ei sbectol a rhwbio ei llygaid. 'Unrhyw newyddion?'

'Oes, ma'am,' atebaf, gan gamu i'r swyddfa a chau'r drws. 'Ond wnewch chi ddim credu o ble mae e wedi dod.'

E

Mae Alaw yn eistedd ar y soffa pan dwi'n cyrraedd adre, ond yn neidio ar ei thraed, yn dod ata i'n syth ac yn lapio ei breichiau o 'nghwmpas i.

'Lle ti 'di bod?' gofynna, wrth fy ngwasgu i'n dynn. 'Fi 'di bod yn trio ca'l gafel arnat ti trw'r dydd. Ti 'di gweld y newyddion, dofe? O't ti'n nabod e, on'd o't ti – Eric Esiason? Mae e'n erchyll be sy 'di digwydd – wyt ti'n OK?'

Does gen i ddim mo'r awydd na'r amser i sefyll yma ynghlwm wrth Alaw, a dwi'n rhyddhau fy hun o'i gafael.

'Ydw, iawn,' atebaf a cherdded i ffwrdd i lawr y cyntedd i gyfeiriad y gegin a'r drws sy'n cysylltu gyda'r garej. Mae yna saib, yna fe alla i glywed Alaw yn fy nilyn i.

'Dyna i gyd sy gyda ti i ddweud? Ti 'di gweld be ddigwyddodd iddo fe, dofe?' gofynna wrth i mi agor drws y garej a chynnau'r golau. Mae'r stribed ar y nenfwd yn hymian wrth fflachio ddwywaith cyn dod ymlaen. Mae'n oer yma, a haen denau o lwch ar y llawr concrit llwyd.

'Mae gen i rywbeth i'w wneud,' atebaf, gan gau'r drws ar fy ôl, ond mae Alaw yn gwthio ei ffordd i'r garej.

'Be sy'n bod arnot ti? Ma rhywun ti'n nabod wedi ca'l ei lofruddio!' Mae'n sefyll tu ôl i mi wrth i mi agor drws un o'r cypyrddau ar wal bellaf y garej ac estyn dysgl fas sy'n cynnwys sawl stribed o bapur melyn yn gorwedd mewn pwll bas o ddŵr. 'Be sy gyda ti fynna? Edrycha arna i!'

Dwi'n ochneidio, yn rhoi'r ddysgl i lawr yn ofalus, ac yn

troi i'w hwynebu hi. Mae'n edrych yn hen. Dwi erioed wedi
teimlo unrhyw atyniad tuag at Alaw – mater o gyfleustra oedd
y berthynas yma erioed, ffordd hawdd o gael rhywle i fyw ac
ychydig o arian wrth gefn tra 'mod i'n cynllunio ac yn paratoi
am y llofruddiaethau yma.

'Alaw,' dywedaf. 'Mae'n amser i ni ddod â hyn i ben.' Mae
Alaw yn syllu arna i wrth i mi agor cwpwrdd arall, a chwilota
ynddo cyn dod o hyd i becyn o *cable ties* plastig tenau.

'Be ti'n...?' mae Alaw yn dechrau gofyn, ond cyn iddi orffen
dwi wedi neidio arni a'i gwthio i'r llawr. Dwi'n gweithio'n
gyflym, yn defnyddio'r stribedi plastig i glymu ei migyrnau,
ei phengliniau, ei garddyrnau a'i phenelinau yn dynn. Mae'n
rhaid fod Alaw mewn rhyw fath o sioc oherwydd dydy hi
ddim yn ymladd yn fy erbyn i o gwbwl, nac yn dweud yr un
gair. Unwaith 'mod i wedi gorffen mae'n gorwedd ar y llawr
llychllyd yn edrych arna i.

'Lle o't ti neithiwr?' gofynna o'r diwedd, gyda'i llygaid yn
llawn ofn. 'O't ti ddim – dim ti laddodd Eric Esiason...?'

Dwi'n cerdded i'r gegin, yn dychwelyd gyda chadach ac yn
ei wthio i'w cheg er mwyn ei thawelu, cyn dychwelyd at y
cwpwrdd a thynnu'r ddysgl gyda'r stribedi papur sy'n arnofio
yn y dŵr allan unwaith eto.

Taliesin

Mae criw o newyddiadurwyr y tu allan i'r orsaf heddlu wrth i mi gyrraedd. Mae un dyn tal mewn siwt lwyd ar ganol ffilmio darn i'r camera gyda'r orsaf yn y cefndir, a'r gweddill yn lladd amser nes bod rhywbeth gwerth ei ffilmio yn digwydd. Mae dyn camera yn pwyso yn erbyn car, ei law chwith yn diflannu i fag brown McDonald's i nôl sglodyn tenau llipa am yn ail a chymryd tyniad caled ar y sigarét sydd yn ei law dde. Yn ffodus does neb yn talu lot o sylw wrth i mi gerdded heibio, ond dwi'n codi coler fy nghot rhag ofn – y peth diwethaf dwi eisiau ei wneud yw atgyfodi penawdau'r 'Caravan Killer Cop'.

Dwi'n cerdded trwy'r drysau gwydr, yn camu at y ddesg flaen ac yn gofyn am gael siarad â Ditectif Siwan Mathews. Wrth i'r iwnifform ffonio drwyddo i'r swyddfa dwi'n edrych o gwmpas y dderbynfa. Mae dynes ifanc mewn siwt drwsiadus yn eistedd ar un o'r cadeiriau gyda'i bag ar ei chôl, yn syllu'n ddwys ar sgrin ei ffôn wrth iddi deipio neges. Cyfreithwraig mae'n siŵr, yn aros i siarad gyda'r sawl mae hi yno i'w gynghori. Ym mhen pella'r dderbynfa mae gŵr a gwraig oedrannus yn eistedd gyda'i gilydd, bwndel o ddogfennau yn ei gôl ef, y ddau yn edrych yn anghyffyrddus, yn sibrwd â'i gilydd yn nerfus. Eu tro cyntaf mewn gorsaf heddlu efallai. Yn gwbl annisgwyl, dwi'n cael pwl o hiraeth am fod yn dditectif – am fod yn un o'r rheini sy'n gallu cerdded yn syth i'r swyddfa yn hytrach nag un o'r rheini sy'n gorfod sefyllian yn y dderbynfa.

Wrth i mi synfyfyrio am hyn, dyma Mathews yn camu trwy'r drws mewnol ac yn edrych arna i heb ddweud gair. Dwi'n cerdded tuag ati, ac yn ei dilyn hi trwy'r drws ac i lawr y cyntedd i swyddfa Saunders. Mae Mathews yn cerdded mewn heb gnocio, ac wedi i mi ei dilyn hi i mewn mae'n cau'r drws y tu ôl i mi.

'Wel, MacLeavy,' mae Saunders yn dweud ar ôl saib hir. 'Dyma ti 'nôl yma eto.' Roeddwn i'n barod i'w gweld ar ei mwyaf blin, yn rhegi ac yn diawlio, ond mae'r Saunders yma yn annisgwyl o dawel a phwyllog. 'Mae Mathews wedi amlinellu popeth ddwedes ti wrthi, ond fe ewn ni drwy'r cyfan eto'n fwy manwl. Ond cyn hynny, dwi'n deall dy fod ti wedi derbyn ebyst gan y llofrudd – ydyn nhw gyda ti? Allwn ni weld nhw?'

Dwi'n estyn fy ffôn ac yn llwytho'r gwahanol negeseuon ar y sgrin. Mae Saunders yn cymryd y ffôn ac yn ei astudio am amser hir, cyn ei basio at Mathews.

'Wel does dim cyfaddefiad yno fel y cyfryw,' meddai. 'Ond mae natur llofruddiaethau Eric Esiason a Reg Walters yn eitha unigryw, yn bendant. Dwi'n gyfarwydd ag achos Gene Scroggs, ond ddim gydag Ortega o Fecsico. Mae llofruddiaeth Rosa Krajicek yn fwy cymhleth – mae ei chariad hi wedi cael ei arestio yn barod yn yr achos yna, ond mi wnewn ni gysylltu gyda'r uned dditectifs yng Nghaernarfon i rannu'r wybodaeth newydd yma. Wna'i ofyn i ti ailadrodd yr hanes cyfan fel wnest ti wrth Mathews yn barod, ond cyn hynny gad i fi ofyn hyn – oes unrhyw syniad gyda ti pwy sy'n gyfrifol? Pwy yw'r E yma?'

Dwi'n ochneidio.

'Dim ar hyn o bryd,' atebaf. 'Fe oedden ni – fi a Mari – yn amau Eric Esiason ar ôl y ddwy lofruddiaeth gynta.' Mae Saunders yn codi ei haeliau wrth glywed hyn. 'Ond yn amlwg mae'r sefyllfa wedi newid ers hynny.'

'A pham oeddech chi'n amau Esiason?' mae Saunders yn gofyn. 'Dwi'n cymryd bod mwy o reswm na'r ffaith fod ei enw'n dechrau gydag E?'

'Yr unig debygrwydd rhwng Rosa Krajicek a Reg Walters ro'n i'n medru canfod oedd bod y ddau yn brwydro yn erbyn problemau dibyniaeth – Krajicek ar gyffuriau a Walters ar alcohol. Roedd y ddau yn byw yn bell oddi wrth ei gilydd ac yn bobol eitha gwahanol, felly'r unig gysylltiad oedd eu bod nhw'n mynychu cyfarfodydd i'r rheini sy'n diodde o ddibyniaeth, a mi oedd Eric Esiason yn trefnu'r cyfarfodydd hynny.'

Am y tro cyntaf ers i mi gyrraedd yr orsaf mae Mathews yn siarad.

'Doedd Eric Esiason ddim byd i'w wneud a'r grŵp yng Nghaernarfon, ni 'di tsheco hynny. Dim ond y grŵp yn Aberystwyth oedd e'n gyfrifol amdano.' Mae yna fin amlwg i'w llais.

'Wel falle nad y grŵpiau dibyniaeth hyn yw'r cysylltiad,'te, falle fod Rosa Krajicek, Reg Walters ac Eric Esiason yn adnabod ei gilydd rhyw ffordd arall,' atebaf.

'Siwan,' mae Saunders yn troi i wynebu Mathews. 'Ydyn ni wedi clywed 'nôl gan Mrs Esiason eto?'

'Na, dim eto. Mi oedd hi'n eitha ypset ar ôl i ni siarad gyda hi felly fe wnaeth y doctor roi tawelydd iddi. Mae hi'n cysgu ar hyn o bryd.' Mae'n edrych arna i. 'Ni wedi gofyn i wraig Eric Esiason am restr o unrhyw un mae hi'n ei gofio sy'n gysylltiedig â'r grŵp alcoholics.'

'Merch o'r enw Alys yw'r prif gynorthwyydd. Mae yna ddau arall hefyd – Beth a Josh, ac mae aelodau'r grŵp, wrth gwrs – Graham, Margaret, Jeff dwi'n meddwl...'

Dwi'n stopio gan fod Saunders yn syllu arna i'n rhyfedd.

'A sut wyt ti'n gwybod hyn, MacLeavy? Ac o feddwl am y peth, pam oeddet ti'n amau Eric Esiason o gwbwl? Sut oeddet ti'n gwybod pwy oedd e cyn iddo fe gael ei ladd?'

Dwi'n sylweddoli'n rhy hwyr 'mod i wedi datgelu rhywbeth wnes i ei hepgor o'r sgwrs gyda Siwan yn gynharach, ond mae'n rhy hwyr i wneud unrhyw beth ond cyfaddef nawr.

'Oherwydd... wel, oherwydd 'mod i wedi mynychu cwpwl o gyfarfodydd.'

Mae'r stafell yn dawel am eiliad neu ddwy.

'Reit, dwi'n meddwl bod well i ti ddechrau o'r dechrau,' mae Saunders yn dweud. 'Eisteddwch, y ddau ohonoch chi. Ac ry'n ni eisiau gwybod pob manylyn y tro hwn, MacLeavy.'

E

Doedd gen i ddim o'r tawelyddion wnes i eu defnyddio ar Eric ar ôl, ond ro'n i'n gwybod bod gan Alaw botel o dabledi cysgu mae'n eu cymryd o bryd i'w gilydd, a fe wnes i fathru pump o'r tabledi yn bowdr cyn eu cymysgu gydag ychydig o ddŵr. Fe wnaeth hi ymladd a dechrau strancio pan welodd hi fi yn dod tuag ati gyda'r gymysgedd, ond fe wnes i eistedd arni a thywallt tipyn i'w cheg, a'i dal ynghau nes i mi ei gweld hi'n llyncu. Yn fuan iawn roedd hi'n swp diymadferth ar lawr y garej, a bues i'n stryffaglu am sawl munud i gael y corff llipa i mewn i fŵt y car.

Y peth olaf dwi'n ei wneud cyn gadael yw cymryd y ddysgl sy'n cynnwys y stribedi papur a'r dŵr o'r garej i'r gegin a'u gosod yn ofalus ar yr ochr. Fe gymrodd amser hir i mi ddod o hyd i rywun oedd yn gwerthu'r hen fath o stribedi papur dal pryfed ar y we – y math sy'n dal i gynnwys arsenig. Roedd y pecyn ddaeth drwy'r post yn y diwedd yn hen un o'r wythdegau, a'r rhan fwyaf o'r stribedi papur wedi melynu a sychu. Does gen i ddim syniad faint o'r arsenig sydd wedi ei dynnu i'r dŵr yn y ddysgl erbyn hyn, ond mae pob un o'r stribedi wedi bod yn socian ers dyddiau bellach, a does gen i ddim mwy o amser i aros. Dwi'n estyn i'r cwpwrdd lle mae Alaw yn cadw ei diodydd i nôl dwy botel fechan o Malibu – y rhai sy'n ffitio'n hawdd mewn un dwrn – a'u gwagio i lawr y sinc a'u golchi, cyn eu llenwi'n ofalus gyda'r hylif arsenig. Y bwriad oedd cael gafael ar un o'r cathod sy'n crwydro trwy'r ardd bob dydd i brofi pa mor gryf yw'r gwenwyn cyn ei ddefnyddio fe go iawn, ond mae'r cynllun wedi newid, a does dim amser i hynny nawr chwaith. Dwi'n rhoi'r poteli yn fy mhoced, a chyn i mi gerdded 'nôl allan i'r garej dwi'n tynnu cyllell fawr, finiog o'r blocyn.

Mae Alaw yn dda i rywbeth wedi'r cwbwl. Mae'n treulio tipyn o amser yn coginio, ac yn gwneud yn siŵr fod gan bob cyllell fin fel rasal.

Siwan

Ma Taliesin wrthi'n esbonio sut oedd e a Mari wedi clywed am farwolaeth Eric Esiason ar y ffordd i Gaernarfon, a finne'n brathu 'nhafod mewn dicter, pan ddaw cnoc ar ddrws y swyddfa. Ma'r drws yn agor, ac ma Emlyn Marshall yn cerdded i'r stafell.

'Sori i darfu, ond ma neges fan hyn wrth Sarjant Savage – i ti, Siwan?'

Dwi'n troi i'w wynebu ac yn estyn am y darn papur yn ei law. Ma Marshall wedi sgrifennu enw a rhif ffôn arno yn ei lawysgrifen anniben.

'Alys Olsen,' darllenaf yn uchel.

'Ie – ddwedodd Savage taw dyna'r unig berson oedd Mrs Esiason yn ei hadnabod oedd yn ymwneud â'r grŵp alcoholics.'

Ma Marshall methu peidio â syllu i gyfeiriad Taliesin, yn ceisio dyfalu pam ei fod e'n eistedd yn y swyddfa yma yng nghanol ymchwiliad llofruddiaeth.

'OK, diolch i ti.'

Dyw Marshall ddim yn symud o'r drws, yn amlwg yn gobeithio cael ei wahodd i ymuno â'r cyfarfod, tra ein bod ni'n tri yn aros iddo adael cyn cario 'mlaen.

'Cer o 'ma, Marshall,' ma Saunders yn dweud o'r diwedd.

'Ma'am,' ma fe'n ateb yn siomedig, cyn cau'r drws ar ei ôl.

'Alys – hi ydy'r prif gynorthwyydd yn y cyfarfodydd,' ychwanega Taliesin.

'Esgusodwch fi, 'te, ma'am, wna'i fynd i'w ffonio hi nawr,' meddaf, gan godi o fy nghadair a symud at y drws.

'Na, ffonia hi o fan hyn, i ni gyd gael clywed,' meddai Saunders a gwthio'r ffôn sydd ar ei desg tuag ata i.

Dwi'n dechre protestio – dyw hi ddim yn iawn bod Taliesin yn rhan o'r ymchwiliad, nid yn unig am nad yw e'n aelod o'r heddlu bellach, ond hefyd am ei fod e wedi dal yr wybodaeth bwysig yma 'nôl.

'Ond, ma'am...' meddaf, gan edrych ar Taliesin.

'Jyst ffonia hi, Mathews,' ma hi'n torri ar fy nhraws, ac yn gwthio'r ffôn yn nes fyth tuag ata i.

Yn gwbod o brofiad fod dim i'w ennill o ddadlau gyda Saunders, dwi'n rhoi'r ffôn ar yr uchelseinydd ac yn deialu'r rhif ar y darn papur. Ma fe'n canu dair gwaith, ac yna ma llais dynes yn ateb.

'Helô?'

'Helô – ydw i'n siarad gydag Alys Olsen?' gofynnaf.

'Ydych – pam, pwy sy'na?' Fe alla i glywed acen Lerpwl yn y llais.

'Ditectif Siwan Mathews, Heddlu Dyfed-Powys. Eisiau gofyn cwestiwn neu ddau ynglŷn ag Eric Esiason.'

Ma 'na eiliad neu ddau o dawelwch ben arall y lein – fydd hyn yn digwydd yn aml pan nad yw'r person wedi arfer siarad â'r heddlu.

'Ie, iawn,' ma'r ateb yn dod yn y diwedd. 'Wrth gwrs. Unrhyw beth i helpu dal pwy bynnag laddodd Eric.'

'Dwi'n falch i glywed hynny, Miss Olsen. Falle allech chi ddechre trwy roi syniad i ni o'ch perthynas chi a Mr Esiason,' meddaf.

'Perthynas? Wel, o'n i'n helpu Eric gydag Alcoholics Anhysbys, a dw i'n hyfforddi i fod yn gwnselydd hefyd, felly roedd e'n fy helpu i o bryd i'w gilydd.'

O gofio'r ail ffôn yng nghar Eric Esiason, a beth ddwedodd ei wraig amdano yn mynd tu ôl i'w chefn hi gyda merched eraill, dwi'n penderfynu gwthio Alys Olsen ychydig yn bellach.

'A dyna i gyd oedd eich perthynas chi? Dim byd... agosach na hynny?'

Ma sŵn anadl ddofn yn dod dros y ffôn.

'O na, dim o gwbwl. Na. Roedd e fwy fel tad i mi na dim arall.'

Dwi'n gadael bwlch yn y sgwrs, yn y gobaith y bydd Alys Olsen yn ei lenwi.

'A beth bynnag, roedd gan Eric deip eitha penodol, a dwi ddim y teip yna.'

'O? A pha fath o deip fyddai hynna?' gofynnaf yn syth.

'Wel, ydych chi wedi gweld ei wraig e? Merched gwallt tywyll, eiddil, heini oedd yn dal llygad Eric.'

'Wela i – ac ydych chi'n amau bod Mr Esiason yn gweld rhywun heblaw am ei wraig cyn iddo farw, Miss Olsen?'

'Na... a,' ma Alys yn ateb, gan dynnu'r gair allan yn hir.

'Gwrandwch, ma fe'n bwysig eich bod chi'n rhannu unrhyw wybodaeth gyda ni, hyd yn oed os ydych chi'n meddwl nad yw e'n berthnasol.'

Ma Alys Olsen yn ochneidio cyn ateb.

'Wel, iawn – dydy hyn yn ddim byd dwi'n siŵr, ond mi oedd e'n talu tipyn o sylw i Beth, un o'r cynorthwywyr eraill yn y grŵp. Ma hi'n ffitio ei deip e, ond ma hi mewn perthynas gyda dynes arall, felly fydden i'n amau bod unrhyw beth yn mynd 'mlaen.'

'Oes ganddoch chi ail enw i Beth?' gofynnaf yn syth.

'O, gadewch i fi feddwl – un o'r enwau *double-barrelled* yna... Parker-Morrow, dyna fe. Beth Parker-Morrow.'

'Ydy Beth yn fyr am Elizabeth?' mae Taliesin yn gofyn wrth

bwyso'n agos at y ffôn. Mae Saunders yn symud ei llaw agored fel cyllell drwy'r awyr o flaen Taliesin, ac yn ystumio'r gair 'Na' yn glir. Ma fe'n ddigon gwael ei fod e yma yn gwrando ar y sgwrs heb sôn am gyfrannu iddi. Ond ma Saunders a finnau yn sylweddoli pwrpas cwestiwn Taliesin.

E am Elizabeth.

'Ydy, dwi'n meddwl,' ma Alys Olsen yn ateb. 'Sori, pwy y'ch chi? Do'n i'm yn sylweddoli bod mwy nag un ohonoch chi ar yr alwad.'

'Ma'n ddrwg 'da fi. Ditectif Marshall oedd hwnna, ma fe'n gweithio ar yr achos hefyd,' meddaf, a cheisio symud 'mlaen yn syth. 'Allwch chi ddweud unrhyw beth wrthon ni am Ms Parker-Morrow?'

Ma Alys Olsen yn meddwl am dipyn cyn ateb.

'Wel, dydy hi ddim yn siarad rhyw lawer gyda neb a dweud y gwir. Dwi'n gwbod ei bod hi mewn perthynas gyda dynes o'r enw Alaw, a'i bod hi'n gwirfoddoli mewn sawl grŵp sy'n delio gyda dibyniaeth, yn ogystal â'n grŵp Alcoholics Anhysbys ni.'

Ma Taliesin yn agor ei geg i siarad eto, ond pan ma Saunders yn codi ei llaw yn fygythiol i'w dawelu ma fe'n estyn am ddarn o bapur rhydd ar y ddesg ac yn dechre sgrifennu rhwbeth yn frysiog, cyn ei wthio tuag ata i. Dwi'n darllen y neges ac yn gofyn y cwestiwn sydd ar y papur.

'Miss Olsen – ydych chi'n gwbod os yw Narcotics Anhysbys Caernarfon yn un o'r grŵpiau hynny?'

'Wel ydy, fel mae'n digwydd,' daw'r ateb. 'Sut o'ch chi'n gwbod hynny?'

Mari

Dwi wedi bod yn cerdded o un stafell i'r llall yn y fflat ers i Taliesin adael, yn disgwyl iddo fo ffonio efo diweddariad. Fedra i ddim eistedd, na chanolbwyntio ar unrhyw beth, a phan dwi'n cau fy llygaid gwelaf wyneb Eric Esiason, ei wefusau'n symud yn ddi-sŵn.

Dwi bron â neidio allan o 'nghroen pan mae *buzzer* y drws yn swnian yn sydyn. Dwi'n brasgamu at y ffôn ar bwys y drws sy'n gadael i mi siarad gyda phwy bynnag sydd tu allan.

'Helô?'

'Helô. Ditectif Siwan Mathews sydd yma, ga i ddod mewn?'

Siwan Mathews – ddwedodd Taliesin y byddai hi'n fodlon gwrando arnon ni. Rhaid ei bod hi wedi dod i glywed fy ochr i o'r stori.

'O, ia wrth gwrs,' atebaf, yn falch o allu gwneud rhywbeth, rhannu gwybodaeth efo rhywun o'r heddlu i ddod â hyn i gyd i ben. 'Dewch fyny – fflat 2.'

Eiliadau wedyn dwi'n clywed sŵn traed yn dringo'r grisiau tu allan, yn dod yn agosach, ac yna mae cnoc ar y drws.

Y peth cyntaf wela i ar ôl ei agor yw golau'r landin yn fflachio ar gyllell fawr, fileinig yr olwg.

Taliesin

'Os allech chi fynd i edrych yn y ffeil nawr, Miss Olsen, wna'i aros,' mae Mathews yn dweud.

Er nad ydy Alys Olsen yn gwybod cyfeiriad Beth Parker-Morrow, hi sy'n gyfrifol am gadw'r ffeil sy'n cynnwys manylion pob un o wirfoddolwyr y grŵp, ac mae'r lein yn mynd yn dawel wrth iddi fynd i chwilio am y manylion.

'Elizabeth Parker-Morrow,' mae Saunders yn dweud mewn llais isel, wrth i ni aros i Alys ddychwelyd. 'Nawr, pam bod yr enw yna'n canu cloch?' Mae'n troi at ei chyfrifiadur ac yn dechrau teipio ar yr allweddfwrdd.

Dwi'n ceisio cofio'r cyfarfod Alcoholics Anhysbys diwetha, cofio Alys yn cyfeirio at Beth oedd yn eistedd wrth ei hochr hi. Wnaeth hi ddim dweud gair, dim ond gwylio a gwrando ar bawb arall. Gwrando arna i'n siarad am fynd i weld MJ... ac yna'n siarad am Mari, am sut dwi'n meddwl 'mod i'n ei charu hi, ac yn gobeithio ei bod hi'n teimlo'r un peth. Dwi'n gwingo'n fewnol wrth i mi gofio sut wnes i rannu rhywbeth mor bersonol o flaen grŵp o bobol ddierth, ond yna mae fy stumog i'n tynhau wrth ystyried sut fyddai Beth wedi ymateb wrth glywed hynny. Os oedd hi'n barod i ladd tri o bobol i gael fy sylw, sut fyddai hi'n teimlo o 'nghlywed i'n dweud 'mod i mewn cariad gyda rhywun arall?

Mae Mathews yn dal i aros i Alys Olsen ddychwelyd, a Saunders yn astudio sgrin y cyfrifiadur, gan glicio'r llygoden nawr ac yn y man.

'Tŷ bach,' dwi'n mwmian, wrth godi a gadael y swyddfa. Unwaith dwi allan drwy'r drws dwi'n anwybyddu'r ditectifs eraill sy'n syllu arna i, ac yn croesi'r ystafell i gyfeiriad y tai bach. Mae'r toiledau'n wag, a dwi'n cau'r drws, yn estyn fy ffôn yn frysiog ac yn galw Mari. Mae'n canu, ac yn canu, cyn i mi glywed llais Mari yn fy ngwahodd i adael neges ar y peiriant ateb.

E

'Paid ti meiddio sgrechian,' meddaf, wrth gamu i'r fflat a chau'r drws tu ôl i mi. Mae hithau'n camu 'nôl wrth i mi symud tuag ati, ei llygaid wedi'u hoelio ar y gyllell. Mae sŵn ffôn yn canu rhywle yn y fflat, ac mae'r ddau ohonon ni'n sefyll yn stond, finnau'n syllu arni hi a hithau ar y gyllell, nes bod y ffôn yn tawelu. Dwi'n edrych o gwmpas yn gyflym – mae'r fflat yn fach, ond i'w gweld yn eithaf cyffyrddus, a gwelaf yr offer recordio sain ar y ddesg ar bwys y ffenest. Am eiliad dwi'n teimlo gwefr fach 'mod i yn y man lle mae *Ffeil Drosedd* yn cael ei recordio.

'Helô Mari,' meddaf o'r diwedd, wrth edrych i'w llygaid. 'Dwi wedi bod yn gwrando ac yn gwrando arnat ti'n siarad, mae'n neis rhoi wyneb i'r llais. A dweud y gwir, o'n i'n dychmygu y byddet ti'n edrych mwy neu lai fel wyt ti.'

'Pwy ydach chi? Be dach chi isio?' mae Mari'n gofyn.

'Dwi'n meddwl dy fod ti'n gwybod yn iawn pwy ydw i, Mari. Mi wyt ti wedi bod yn chwilio amdana i. Fi yw Josep Krueller, Gene Scroggs ac Andreas Rubio Ortega.' Dwi'n cymryd cam yn nes at Mari. 'Ac o ran beth dwi eisiau, mae hynny'n eitha syml. Dwi eisiau i ti yfed rhein.' Gyda hynny dwi'n tynnu'r ddwy botel fach Malibu o fy mhoced a'u dangos nhw iddi.

'Bartek Kowalkzyc,' mae Mari'n mwmian o dan ei hanadl.

'Da iawn,' meddaf, yn synnu braidd ei bod hi wedi gweithio hynny allan mor gyflym. 'Ti'n gwybod beth sydd yn y poteli hyn, 'te?'

'Arsenig,' mae'n ateb yn dawel.

'Arsenig,' dwi'n ailadrodd. 'Nawr...'

Gyda hynny mae'r ffôn yn fy mhoced yn canu, ac am eiliad dwi'n tynnu fy sylw oddi ar Mari. Mae hithau'n troi ac yn rhedeg am y drws ar ochr arall yr ystafell, ond dwi'n neidio arni'n syth ac yn ei thynnu hi lawr. Mae bwrdd bach yn disgyn ar ei ochr, a'r lamp oedd arno yn diffodd wrth iddo fwrw'r llawr. Mae Mari'n ymladd yn ffyrnig, ond dwi'n llwyddo i'w throi fel ei bod yn gorwedd ar ei hwyneb ar y llawr, a finnau'n penlinio ar ei chefn. Dwi'n codi ei phen gerfydd ei gwallt, ac yn dal y gyllell o flaen ei llygaid.

'Gwna di unrhyw sŵn ac mi gei di hwn, ti'n deall?' Wrth gwrs, dydw i ddim eisiau defnyddio'r gyllell go iawn – mi fyddai hynny'n chwalu'r patrwm sydd angen ei greu.

Bartek Kowalkzyc ydw i nawr.

Siwan

'Dim ateb,' meddaf.

Ma Taliesin yn cerdded 'nôl i'r stafell wrth i mi roi'r ffôn yn ei grud. Cyn gynted ag yr oedd Alys Olsen wedi dychwelyd gyda chyfeiriad a rhif ffôn Beth Parker-Morrow fe wnes i eu nodi nhw ar ddarn o bapur, a gorffen yr alwad trwy ddiolch yn frysiog. Yn syth wedyn fe wnes i ddeialu'r rhif ar y papur, ond ar ôl canu sawl gwaith fe orffennodd yr alwad heb fynd i beiriant ateb.

'Dim ateb gan Mari?' gofynna.

'Mari? Na, trio ffonio'r Beth yna o'n i. Pam...?'

Ma Saunders yn torri ar fy nhraws i.

'Elizabeth Parker-Morrow – dyma ni. O'n i'n meddwl 'mod i'n cofio'r enw yna o rywle.' Ma hi'n dal i edrych ar sgrin ei chyfrifiadur. 'Am wythnosau wedi marwolaeth Cynan Bould doedd dim ffordd i gael gwared arni. Roedd hi'n ffonio, ebostio ac yn troi fyny wrth y ddesg flaen bron yn ddyddiol.'

Dwi'n sylwi nad ydy Saunders yn sôn o gwbwl am farwolaethau Gwennan a Lois Fairchild o flaen Taliesin, er bod cysylltiad annatod rhwng eu marwolaethau nhw ac un Cynan Bould.

'Beth oedd hi eisiau?' gofynnaf wrth i Taliesin eistedd i lawr, yn chwarae gyda'i ffôn.

'Eisiau gweld MacLeavy,' ma Saunders yn ateb. 'I ddechrau roedd y ddesg flaen yn amau taw newyddiadurwraig oedd hi, yn trio cael cyfweliad, ond wedyn mi fydde hi'n troi lan gydag anrhegion a chardiau, yn mynnu bod MacLeavy wedi achub ei bywyd hi.'

Ma Taliesin wedi stopio chwarae gyda'i ffôn nawr, ac yn gwrando'n astud ar Saunders.

'Roedd hi'n honni bod ei henw hi yn ffeils Cynan Bould,' ma Saunders yn mynd yn ei blaen, 'ac yn gwbwl argyhoeddedig y bydde fe wedi ei lladd hi hefyd tase MacLeavy heb ei stopio fe. Roedd hi'n obsesiynol – yn manig ar adegau – a phan wnest ti adael yr heddlu, Taliesin, fe droiodd hi'n eitha bygythiol, yn dweud ein bod ni wedi dy fradychu di, a taw hi oedd yr unig un oedd yn gwerthfawrogi'r hyn wnest ti. Yn y diwedd roedd yn rhaid i ni roi rhybudd swyddogol iddi gadw draw, ac wedyn, yn sydyn reit, dyma bopeth yn stopio – y galwadau, yr ebyst, yr ymweliadau. Dydyn ni ddim wedi ei gweld hi ers rhyw dri mis nawr. Roedd pawb yn cymryd ei bod hi wedi rhoi'r gore iddi, neu wedi symud 'mlaen at rywbeth arall.'

'Mi wnaeth hi,' ma Taliesin yn dweud. 'Dyna tua'r un pryd wnes i ddechrau cyfrannu at *Ffeil Drosedd*, ac fe wnaeth hi feddwl am ffordd arall i drio cael fy sylw – trwy ail-greu rhai o'r llofruddiaethau ro'n i'n eu trafod.'

Ma Taliesin yn codi ar ei draed, yn gwasgu rhwbeth ar ei ffôn ac yn ei ddal i'w glust.

'Be ti'n neud?' gofynnaf. Ma fe'n gwrando'n astud am dipyn cyn ateb.

'Trio cael gafael ar Mari,' ma fe'n ateb, wrth roi'r ffôn yn ôl yn ei boced. 'Ond dydy hi ddim yn ateb.'

'MacLeavy, dim nawr yw'r ...' ma Saunders yn dechre, ond ma Taliesin yn torri ar ei thraws.

'Mae rhywbeth o'i le. Fe es i i gyfarfod Alcoholics Anhysbys yn gynharach heddi, ac roedd Beth Parker-Morrow yna. A... wel... fe wnes i ddweud pethe am Mari...' Ma'n amlwg fod

Taliesin yn anghyffyrddus. 'Dweud... 'mod i'n gobeithio bod dyfodol i ni'n dau. Dwi'm yn gwybod sut fydde rhywun fel y Beth yma, sydd â rhyw fath o obsesiwn amdana i, yn ymateb i hynna.'

Dicter, dwi'n meddwl. Eiddigedd. Teimlo iddi gael ei bradychu.

'A ti'n meddwl bod Mari mewn perygl?' gofynnaf. 'Ydy'r fenyw yma'n gwbod lle ma hi'n byw?'

'Na. Dwi ddim yn meddwl. Dwi ddim yn gwybod. Ond beth os ydy hi...?'

Ma Saunders yn pwyso 'mlaen yn ei chadair.

'Reit, Mathews – cer di a MacLeavy i fflat Mari i wneud yn siŵr fod popeth yn iawn, a dewch â hi 'nôl fan hyn. Wna' i anfon Marshall a chwpwl o iwnifforms draw i gartre Beth Parker-Morrow, a threfnu i gael manylion unrhyw geir sydd ganddi allan ar y radio fel bod pawb yn cadw llygad amdani.'

Dwi'n codi o fy nghadair, ddim yn hapus 'mod i'n gorfod mynd i warchod wejen Taliesin tra bod pentwr gwaith go iawn yn aros ynglŷn â llofruddiaeth Eric Esiason.

'Dere, ma'r car tu fas,' meddai Taliesin wrth symud at y drws, ar dân i adael cyn gynted â phosib.

'Ti'n mynd i ddreifio?' gofynnaf yn chwerw. 'O'n i'n meddwl bo ti ishe cyrradd yna'n gyflym?'

Taliesin

Mae'r siwrnai fer i fflat Mari fel petai'n cymryd oesoedd. Rydyn ni'n cael ein dal tu ôl i fws ar Goedlan y Parc, ac mae lorri sy'n dadlwytho casgenni cwrw i'r Mill Inn yn achosi tipyn o dagfa cyn i ni gyrraedd Heol y Bont. Fe ddechreuodd y diferion cyntaf o law ddisgyn wrth i ni adael yr orsaf heddlu, ac erbyn hyn mae'r gwynt wedi dechrau codi hefyd.

Dwi'n diolch i'r nefoedd wrth weld bod yna le gwag dros y ffordd i adeilad Mari, ac yn tynnu mewn a pharcio ar frys.

'Taliesin – ti ddwy droedfedd o'r pafin...' mae Siwan yn dweud wrth i mi ddiffodd yr injan ac agor y drws, ond erbyn iddi orffen dweud dwi wedi dringo o'r car ac yn brasgamu dros y ffordd, y glaw yn fy ngwlychu wrth i mi fynd. Mae 'nghalon i'n suddo wrth i mi weld bod drws yr adeilad ar agor – dydy'r drws byth ar agor. Dwi'n dringo'r grisiau fesul dau, cyn llithro ar un a glanio'n drwsgwl ar fy mhen-glin. Mae'n brifo, ond dwi'n codi eto, ac yn cyrraedd drws y fflat gyda 'ngwynt yn fy nwrn. Mae'r drws yna yn gilagored hefyd, a dwi'n clywed Siwan yn dod i fyny'r grisiau tu ôl i mi.

Does dim sŵn yn dod o'r fflat, ac mae'r drws yn agor yn ddistaw wrth i mi ei wthio.

Dwi'n gweld Mari'n syth.

Mae'n gorwedd ar lawr yr ystafell fyw, ei garddyrnau a'i migyrnau wedi eu clymu gyda stribedi plastig, tenau. Mae ei phen ar ei ochr, yn wynebu'r ffenest. Mae'r ystafell yn anniben – bwrdd bach yn gorwedd ar ei ochr, lamp wedi ei chwalu a lluniau oedd gynt yn hongian ar y wal wedi eu taro ar lawr. Fe fu Mari yn ymladd am ei bywyd.

Dwi'n sefyll drosti, ac yn y foment yna does gen i ddim syniad beth i'w wneud.

Dwi'n galw ei henw, ond dydy hi ddim yn ateb.

'*Shit!*' mae Siwan yn dweud, ac yn fy ngwthio i o'r ffordd, gan benlinio wrth ochr y corff ar y llawr. 'Mari? Mari? Wyt ti'n fy nghlywed i?' gofynna Siwan, wrth afael yn ofalus yng ngên Mari a'i throi tuag ati. Mae'n pwyso i lawr, ei chlust wrth wefusau Mari, ac yn gwrando'n astud.

'Mae'n anadlu – yn wan, ond mae'n anadlu. Taliesin... Taliesin!' mae'n gweiddi. Mae fy enw i'n swnio'n estron, fel petai'n galw ar rywun arall. 'Cer trwy'r fflat i wneud yn siŵr fod neb yma – yn ofalus, Taliesin. Wna'i ffonio ambiwlans. A thria ffeindio siswrn neu rywbeth i'w thorri hi'n rhydd.' Mae'n pwyntio at y stribedi plastig. 'Mari? Mari?' Mae'n troi ei sylw 'nôl at y corff, ac yn tynnu ei ffôn o'i phoced ar yr un pryd.

Gan deimlo 'mod i mewn breuddwyd, dwi'n ymlwybro o gwmpas y fflat, yn cerdded i bob ystafell heb edrych i weld a oes unrhyw un yn cuddio yn y cysgodion yn aros amdana i. Pa wahaniaeth beth bynnag? Faint yn fwy o niwed fedran nhw ei achosi y tu hwnt i ymosod ar Mari?

'Ambiwlans – ar frys i... Taliesin!' dwi'n clywed Siwan yn galw o'r ystafell arall. 'Beth yw cyfeiriad fan hyn?' Mae'n meddwl i'n hollol wag, prin yn medru prosesu'r cwestiwn hyd yn oed.

'Dwi... ddim yn gwbod,' dwi'n mwmian mewn ateb.

'Heol y Bont, tua'r top ... fydd rhywun tu allan pan ddeith yr ambiwlans,' mae Siwan yn cario 'mlaen i siarad ar ei ffôn. 'Sdim syniad gen i beth sy wedi digwydd, ma dynes ifanc yma, yn ddiymadferth, prin yn anadlu, dim gwaed nac unrhyw drawma amlwg...'

'Arsenig,' meddaf, wrth gerdded i'r ystafell fyw. 'Mae hi wedi cael ei gwenwyno.'

Mae Siwan yn edrych arna i am eiliad, cyn ailadrodd yr wybodaeth ar y ffôn. Dwi'n ymlwybro at ddesg Mari i chwilio am siswrn, ac yn sylwi bod sgrin y gliniadur ymlaen o hyd. Mae'n dangos bod neges ebost wedi cael ei derbyn ond heb gael ei darllen eto. Dwi'n edrych i gyfeiriad Siwan, ond mae ei chefn tuag ata i, yn dal i siarad gyda'r gwasanaeth ambiwlans. Yn dawel, dwi'n clicio i agor y neges.

Doedd Mari ddim yn dy garu di fel fi. Dwi wedi dy achub di, Taliesin. Nawr mae'n bryd i hyn orffen lle dechreuodd e – lle wnest ti'n achub i. E xx

Dwi'n syllu ar y neges, yn ceisio deall beth sy'n mynd trwy feddwl Beth Parker-Morrow. Yna, yn araf dwi'n diffodd y cyfrifiadur. Does dim siswrn ar y ddesg, felly dwi'n mynd i'r gegin ac yn dod o hyd i un mewn drôr, cyn mynd ag e i'r ystafell fyw.

'Does neb arall yma,' meddaf. Mae Siwan yn gwrando'n astud ar y ffôn, yn nodio ei phen ryw ychydig.

'OK... OK... arhoswch am funud.... Taliesin – iwsa'r siswrn 'na i dorri'r stribedi,' mae'n gorchymyn, gan bwyntio at y garddyrnau plastig ar draed a dwylo Mari. 'A wedyn cer lawr star, i'r stryd, i gwrdd â'r ambiwlans – ma fe ar ei ffordd. A tra bo ti yna, ffonia'r orsaf, siarada gyda Saunders ac esbonia beth sy 'di digwydd. Gofynna iddi anfon car iwnifform a'r criw fforensig yn syth. Taliesin – wyt ti'n deall?' Dwi'n cyrcydu, ac yn defnyddio'r siswrn i dorri'r darnau plastig yn ofalus. Mae marciau coch tywyll yn dod i'r golwg, lle bu'r stribedi'n cnoi mewn i'r cnawd. Unwaith mae Mari'n rhydd dwi'n codi ac yn cerdded yn araf i lawr y grisiau. Mae'r gwynt wedi codi tu allan, ac mae'r glaw ar fy wyneb yn fy nadebru i rhywfaint. Dwi'n cofio fod rhaid i mi ffonio Saunders. Mae desg flaen yr orsaf yn trosglwyddo'r alwad yn syth i'w swyddfa, a hithau'n codi'r ffôn ar ôl un caniad. Dwi'n gwneud fy ngorau i esbonio'r sefyllfa, ac mae'n gwrando'n ofalus.

'Iawn,' meddai o'r diwedd. 'Wna' i anfon yr iwnifforms yn syth, a fydda i yna cyn gynted ag y galla i. Aros di lle wyt ti.'

Gwelaf oleuadau glas yr ambiwlans wrth iddo rasio i fyny'r ffordd, a chodaf fy llaw i ddal sylw'r gyrrwr. Mae geiriau'r ebost yn dal i droelli yn fy meddwl.

Nawr mae'n bryd i hyn orffen lle dechreuodd e – lle wnest ti'n achub i.

E

Dwi'n arafu, ac yn parcio mewn ffordd gul, gan glywed brigau mân yn crafu ochr y car. Mae maes carafannau Clarach i'r dde, ac i'r chwith mae'r llwybr sy'n arwain i ben Consti. Mae fy nwylo i'n crynu wrth i mi agor y drws – yr adrenalin heb adael fy nghorff eto. Dwi'n sylweddoli fod fy mraich yn brifo, ac wrth i mi godi fy llewys gwelaf olion dannedd yn glir ar y croen. Mae'n rhaid fod y bitsh fach yna wedi 'nghnoi i wrth i mi geisio tywallt yr arsenig i'w cheg.

Dwi'n cerdded i gefn y car ac yn gwrando'n astud, fy anadl yn fas ac yn gyflym. Does dim smic o'r gist. Dwi'n ei hagor yn ofalus ac mae Alaw yn gorwedd yno, yn gwbl lonydd – yn frysiog, dwi'n teimlo ei gwddf am guriad calon, ac yn ochneidio mewn rhyddhad wrth sylweddoli ei bod hi'n fyw.

Nid dyna sut mae hi i fod i farw.

Gyda chryn ymdrech dwi'n tynnu'r corff llipa o gist y car. Mae Alaw yn mwmian rhywbeth annealladwy, ond yn gwneud dim ymdrech o gwbl i sefyll ar ei thraed. Roeddwn i'n gobeithio y byddai hi wedi dadebru mwy na hyn, digon i fedru cerdded rhyw ychydig. Mae'n rhaid 'mod i wedi rhoi gormod o'r tawelydd iddi, ond does gen i ddim amser i aros. Dwi'n rhoi braich Alaw dros fy ysgwyddau ac yn dechrau ei llusgo drwy'r glaw, i fyny'r llwybr i ben Consti.

Johan Bachmann, llofrudd Beachy Head, ydw i nawr.

Siwan

Dwi erioed wedi teimlo shwt ryddhad wrth glywed y parafeddygon yn dringo'r grisiau i'r fflat.

Ma'r dyn moel mewn siaced *hi-vis* yn brysio i'r stafell, menyw gyda pherm melyn tu ôl iddo. Ma gan y dyn fag sgwâr anferth ar ei gefn, ac mae glaw yn diferu oddi arno. Ma'r ddau yn penlinio ar fy mhwys i a dwi'n camu 'nôl fel 'mod i allan o'r ffordd. Ma'r fenyw yn rhoi ei bys ar wddf Mari.

'Pyls gwan,' meddai ar ôl sawl eiliad. 'Beth yw ei henw hi?'

'Mari,' atebaf, gan sylweddoli bod dim syniad gyda fi beth yw ei chyfenw hi.

'Beth sy 'di digwydd?' ma'r parafeddyg moel yn gofyn wrth i'r ddynes fynd ati i dynnu offer o'r bag.

'Dy'n ni ddim gant y cant yn siŵr, ond ma'n bosib ei bod hi wedi cael ei gwenwyno gydag arsenig,' atebaf.

'Arsenig?' gofynna, gan fethu cuddio'r syndod yn ei lais. 'Unrhyw syniad faint?'

'Na, sori. Dyma sut oedd hi pan ddaethon ni o hyd iddi.'

Ma'r fenyw gyda'r pyrm yn siarad â'i chyd-barafeddyg.

'Reit, Chris – peth gore i ni wneud yw mynd â hi i'r ysbyty'n syth, fe allan nhw wneud profion arni.'

Ma Chris, y dyn moel, yn cytuno.

'Ie, iawn, Bella – fe a i nôl y stretsier,' meddai, cyn codi a diflannu o'r stafell.

'Ydy hi'n mynd i fod yn iawn?' gofynnaf.

Ma Bella'n edrych arna i tra'n rhoi mwgwd ar wyneb Mari a dechre gwasgu awyr i'w hysgyfaint.

'Os taw arsenig yw e, ma hi'n anodd dweud,' daw'r ateb.

E

Er gwaetha'r gwynt a'r glaw mae'r chwys yn diferu i lawr fy nghefn wrth i mi lusgo Alaw, gam wrth gam, i fyny'r llwybr. Dydyn ni ddim hanner ffordd i fyny eto, ond mae 'nghoesau i'n gwegian a fy ysgyfaint i'n llosgi. Mae yna fainc wrth ochr y llwybr. Dwi'n gadael i gorff Alaw ddisgyn i'r llawr gwlyb tu ôl y fainc ac yn eistedd am funud.

Dwi wedi rhedeg ar hyd y llwybr yma droeon o'r blaen, yn dechrau o Glarach ac yna dringo'n raddol i gopa Consti, gyda'i olygfa odidog i lawr dros dref Aberystwyth. Mae'r llwybr yn dilyn yr arfordir, ac mewn mannau mae'r tir yn disgyn i'r môr yn glogwyni serth, gyda chreigiau miniog, didrugaredd yn gorwedd ar y gwaelod. Sawl gwaith dwi wedi sefyll gyda blaenau fy nhraed dros y dibyn, fy mhen yn troi wrth edrych i lawr ar y môr yn llyfu gwaelodion y clogwyn, a phwyso 'mlaen rhyw fymryn bach, jyst digon fel 'mod i'n gorfod brwydro i stopio fy hun rhag disgyn. Mae'n rhoi tipyn o wefr, gallu camu 'nôl o'r ymyl ar ôl bod bron â syrthio i'r llwydni islaw. Petai Johan Bachmann wedi byw yn Aberystwyth mi fyddai wedi treulio tipyn o amser yn cerdded y llwybr hwn, dwi'n siŵr.

Taliesin

Dwi'n dal i sefyll tu allan ar y palmant, yn wlyb at fy nghroen, pan dwi'n clywed sŵn y parafeddygon yn dod i lawr y grisiau'n ofalus. Mae dau iwnifform wedi cyrraedd erbyn hyn, ac mae un yn helpu cadw'r traffig i lifo heibio'r ambiwlans ar y ffordd gul, tra bod y llall yn sefyll ar fy mhwys i, yn gwarchod y drws.

Mae'r ddau barafeddyg yn cario'r stretsier i lawr y grisiau, y dyn moel yn ei ddal mor uchel ag y mae'n medru, tra bod y fenyw gwallt melyn yn ei ddilyn bron yn ei chwrcwd, yn ymdrechu i gadw Mari mor wastad â phosib. Unwaith fod y ddau'n cyrraedd y gwaelod maen nhw'n brysio gyda Mari allan i'r stryd ac yn syth i gefn yr ambiwlans, lle mae'r ddau barafeddyg yn dechrau ei chysylltu hi i bob math o offer gwahanol.

Wrth edrych ar ei chorff diymadferth, diniwed mae ton o deimladau yn fy nharo i'n sydyn, fel petai'r sioc o weld ei chorff fyny'r grisiau wedi pasio gan agor y llifddorau i bob emosiwn ar yr un pryd.

Dwi'n teimlo'n ddiwerth yn sefyll yma, ymysg y parafeddygon a'r iwnifforms diwyd, pob un yn chwarae ei ran yn achub bywyd Mari, a finnau'n gwneud dim.

Dwi'n teimlo'n euog 'mod i wedi llusgo Mari i ganol yr achos yma a gadael iddi gael ei brifo – efallai ei lladd. Mi ddylwn i fod yn gwybod erbyn hyn fod trais a marwolaeth yn fy nilyn i fel cysgodion mileinig – mae delweddau o MJ yn gorwedd mewn pwll o'i waed ei hun, a chorff llonydd Lois Fairchild wrth i mi dynnu'r glustog o'i hwyneb, yn fflachio i'm meddwl i.

Ond yn bennaf dwi'n teimlo dicter yn llifo trwydda i. Dicter gyda mi fy hun am adael i hyn ddigwydd. Dicter gyda Siwan am beidio â gadael i Mari ddod i'r orsaf heddlu gyda mi, am ei gadael ar ei phen ei hun a rhoi cyfle i rywun ymosod arni. Dicter tuag at Beth Parker-Morrow, am weld beth ddigwyddodd gyda Cynan Bould fel rhywbeth i ysgogi cyfres newydd o farwolaethau diangen. Dicter gyda'r byd cyfan, ac ysfa i wneud rhywbeth – unrhyw beth – i ddial.

Yn sydyn dwi'n ymwybodol bod cynnwrf yng nghefn yr ambiwlans. Dwi'n clywed y ddynes gyda'r cwrls melyn yn codi ei llais, ac yn y cefndir mae bip-bip cyson y peiriant mesur calon wedi troi'n un dôn hir, derfynol.

'Shit – Chris, mae'n mynd mewn i *cardiac arrest*. Yn dechre *CPR*.'

Mae'n dechrau gwasgu'n galed ac yn rhythmig ar frest Mari, ei llygaid ar sgrin y peiriant mesur calon, tra bod Chris yn tynnu darn o offer o gwpwrdd bach yn yr ambiwlans.

'*Defibrillator* yn barod.' Mae'r ferch yn symud i'r ochr, ac mae'r dyn moel yn gosod dwy ddolen y peiriant ar frest Mari. 'Pawb yn glir.' Mae sŵn ton o drydan yn llifo trwy'r peiriant ac i mewn i'w chorff, sy'n gwingo ar y stretsier. Mae sŵn gwastad y peiriant mesur calon yn aros yn gyson, a'r fenyw yn ailafael yn y *CPR*, yn gwthio i lawr ar frest Mari gyda'i holl egni.

'Dim ymateb. Barod eto, Bella. Pawb yn glir,' mae'r dyn moel yn dweud, wrth osod y diffibriliwr ar groen Mari drachefn. Mae ei chorff yn neidio ar y stretsier eto, ond does dim curiad yn ymddangos ar y peiriant mesur, ac mae'r dôn fflat yn parhau i seinio.

Dwi'n troi i ffwrdd, yn methu dioddef gwylio bywyd Mari yn diflannu o 'mlaen i. Mae delwedd o gorff Lois Fairchild yn dod i fy meddwl, yn gorwedd yn llonydd ar wely mewn carafán yng Nghlarach wrth i mi godi'r glustog o'i hwyneb. Tric olaf Cynan Bould, cyn iddo gael ei ladd gan ynnau'r uned arfog. Ar y pryd ro'n i'n meddwl taw dyna fyddai diwedd popeth, yn hytrach na chychwyn ar y bennod hon, pennod fwy erchyll fyth.

Nawr mae'n bryd i hyn orffen lle dechreuodd e – lle wnest ti'n achub i.

Mae geiriau Beth Parker-Morrow yn neidio i'm meddwl i, ac yn sydyn dwi'n gwybod lle mae hi. Dwi'n clywed y diffibriliwr yn gwefru eto, ac eiliadau wedyn mae corff Mari yn disgyn yn ôl yn galed ar y stretsier. Mae'r dicter, a'r casineb, a'r ysfa i ddial yn llifo trwydda i, fel y trydan trwy gorff Mari.

Heb oedi, dwi'n croesi'r ffordd ac yn dringo mewn i fy nghar, gydag un peth yn unig ar fy meddwl.

Lladd y person sydd wedi llofruddio Mari.

E

Cam wrth gam, troedfedd wrth droedfedd, rydyn ni'n dringo'r llwybr serth. Mae Alaw wedi dechrau dadebru mwy, ac er nad ydy hi'n ymwybodol o beth sy'n digwydd, mae'n gallu cerdded rhyw ychydig. Fe alla i glywed y tonnau yn torri yn erbyn y tir oddi tanon ni. Yn fuan fe fyddwn ni'n troi oddi ar y llwybr ac yn cyrraedd llecyn bach lle mae'r tir yn syrthio'n glogwyn serth at ddannedd y creigiau islaw.

Siwan

'Mathews,' ma Saunders yn dweud wrth iddi gerdded i mewn i'r fflat. 'Beth ddiawl sy'n mynd 'mlân?'

Unwaith aeth Mari i lawr y grisiau dan ofal y parafeddygon fues i'n eistedd yn llonydd ar lawr y stafell fyw am rai eiliadau, yn ceisio dygymod â'r hyn oedd newydd ddigwydd. Yna, yn araf fe wnes i godi, a dechre mynd trwy bob stafell yn y fflat fach yn ceisio dod o hyd i unrhyw beth fyddai'n gallu rhoi cliw i gam nesa Beth Parker-Morrow.

'Ma'am – o'n ni'n rhy hwyr. Pan gyrhaeddon ni roedd Mari'n gorwedd yn ddiymadferth fan hyn,' atebaf, gan bwyntio at lawr yr ystafell fyw. 'Ma Taliesin yn amau ei bod hi wedi cael ei gwenwyno. Arsenig.'

'Arsenig? Sut oedd e'n gwbod hynna?' ma Saunders yn gofyn.

'Pan ffoniodd e'r tro cynta, cyn dod i mewn i'r orsaf, fe ddwedodd e fod Mari a fe'n meddwl eu bod nhw'n gwbod pa achosion fydde'r llofrudd yn eu hefelychu. Ro'dd un yn wenwyniad gan arsenig.'

'A beth arall?' ma Saunders yn gofyn yn syth.

Dwi'n llyncu'n galed cyn ateb.

'Gwthio person oddi ar glogwyn.'

'Blydi hel!' yw ei hymateb. 'MacLeavy!' Ma Saunders yn galw'n sydyn. Ma'r fflat yn aros yn dawel. 'Lle ma fe?' gofynna i fi. Dwi'n crychu fy nhalcen.

'Wnes i ofyn iddo fe aros am yr ambiwlans a'ch ffonio chi – dyw e ddim lawr sta'r o hyd?'

'Na, does dim golwg ohono fe,' ma Saunders yn ateb. 'Mae'r ddau iwnifform ar y stryd yn dweud bod Mari wedi ca'l trawiad yn yr ambiwlans cyn iddyn nhw adel – dyw pethe ddim yn edrych yn dda. Ond fe oedd Taliesin yna am dipyn a wedyn fe wnaeth e ddiflannu, o'n nhw'n cymryd ei fod e wedi dod 'nôl lan fan hyn. *Shit* – ble ma fe wedi mynd?'

Taliesin

Dwi'n gyrru fel peth gwyllt drwy Aberystwyth ac i fyny rhiw Penglais, cyn cymryd y ffordd gefn heibio amlosgfa'r dref, yn troi'r corneli cul heb boeni oes unrhyw beth yn dod i gwrdd â fi. Mae fy ffôn yn canu sawl gwaith, ac enwau Siwan a Saunders yn dangos ar y sgrin, ond dwi'n eu hanwybyddu nhw. Nhw fynnodd adael Mari ar ei phen ei hun yn y fflat, yn brae i Beth Parker-Morrow. Fe allan nhw i gyd fynd i'r diawl.

Mari druan.

Mae'r ddelwedd o'i chorff difywyd yn cael ei wefru drosodd a throsodd yng nghefn yr ambiwlans yn fy sbarduno i ymlaen. Dwi'n gwthio'r car i fynd yn gyflymach fyth, ac am eiliad mae'r teiars yn llithro wrth i mi droi cornel tynn ar wib, cyn cael gafael ar y ffordd slic eto.

O fewn dim mae'r rhesi o garafannau statig yn dechrau ymddangos ar ochr yr hewl. Dyma lle wnes i ddod wyneb yn wyneb â Cynan Bould, cyn iddo fe farw, lle mae Beth Parker-Morrow yn meddwl wnes i achub ei bywyd hi.

Dyma lle y dechreuodd hyn i gyd.

E

Mae'r olygfa yn odidog. Dwi'n eistedd ar y gwair, fy nghoesau dros ochr y clogwyn. Mae'n glawio'n drwm nawr, ond dwi ddim yn ymwybodol o'r diferion yn taro fy nghroen. Fe alla i glywed y tonnau yn torri ar y gwaelod, ac mae arogl yr heli yn llenwi fy ffroenau. Mae Alaw yn gorwedd ar y gwair, ei phen yn fy nghôl, a niwl y tawelydd heb godi eto. Dwi ddim yn cofio teimlo mor agos â hyn ati erioed o'r blaen.

Mae dyn yn cerdded ei gi yn pasio ar y llwybr cyfagos. Dwi'n synhwyro ei fod wedi stopio ac yn edrych arnon ni.

'Popeth yn iawn?' gofynna o'r diwedd. Dwi ddim yn ateb, ond dwi ddim yn ei glywed e'n cerdded i ffwrdd.

'Esgusodwch fi – ydych chi'n iawn?' gofynna drachefn.

'Ewch o 'ma – nawr,' atebaf, heb droi i edrych arno. Mae yna saib hir, ac yna dwi'n clywed sŵn ei draed yn dechrau cerdded i ffwrdd, ac rydyn ni ar ein pennau'n hunain unwaith eto.

O 'mlaen i mae Bae Ceredigion yn ymagor at y gorwel, un cwrlid di-dor glas tywyll. I'r chwith mae tref Aberystwyth, yn dilyn cryman y bae gydag adfeilion y Castell ar y pwynt pellaf, y tai pitw yn gwthio'u ffordd i fyny bryn Pen Dinas gyferbyn, ac yn ôl i gyfeiriad Penglais a Llanbadarn. Dwi'n craffu i geisio gweld Heol y Bont, yn dychmygu Taliesin yno yn pwyso dros gorff marw Mari. Mi fydd e'n gwerthfawrogi, yn y diwedd, taw iddo fe oedd hyn i gyd.

Siwan

'Dim ateb,' meddaf wrth i'r alwad fynd i'r peiriant ateb eto.

'*Shit*,' meddai Saunders. 'Ma fe 'di mynd ar ei hôl hi, ma'n rhaid ei fod e 'di gweithio allan beth fydd yn digwydd nesa a ble. Rhanna rif ei gar e ar y radio, dwi ishe i bawb gadw llygad mas amdano fe.' Ma hi'n oedi, yn meddwl am dipyn. 'Os yw Taliesin yn meddwl bod y llofrudd yma'n mynd i daflu rhywun oddi ar glogwyn, falle taw dyna lle ma fe wedi mynd. Gwna'n siŵr fod iwnifform yn gwbod – os oes adroddiad am unrhyw un yn ymddwyn yn amheus mewn rhywle tebyg, dwi ishe clywed yn syth.'

Ma'r ddelwedd o Taliesin yn dod wyneb yn wyneb â rhywun sydd wedi lladd tri pherson – o bosib pedwar, yn dibynnu ar gyflwr Mari – ar ben clogwyn yn gwneud i 'ngwaed i oeri. Dwi'n estyn fy ffôn i alw rhif yr orsaf.

'A hefyd,' ma Saunders yn dweud, 'dwi ishe diweddariadau cyson ar gyflwr Mari.'

O fewn dim dwi'n siarad gyda Sarjant Savage, yn ailadrodd cyfarwyddiadau Saunders. Dwi'n gobeithio bod Savage yn clywed y gofid a'r brys yn fy llais.

'Paid poeni, Siwan,' meddai, ar ôl gwrando'n ofalus. 'Fe wnewn ni bopeth allwn ni.'

Taliesin

Dwi'n cyrraedd y pwynt lle mae'r ffordd gul yn troi i fynedfa'r parc carafannau, a'r llwybr arfordirol i fyny Constitution Hill yn dechrau. Mae yna gar yma'n barod, wedi ei barcio yn y clawdd, a dwi'n parcio'r Golf tu ôl iddo'n frysiog. Wrth i mi ddringo allan mae fy ffôn yn canu eto, ond dwi'n ei daflu i'r sedd gefn wrth gau'r drws, ac yn dechrau rhedeg i fyny'r llwybr.

Siwan

Ma'r tîm fforensig yn cyrraedd y fflat, wrth glywed geiriau agoriadol peiriant ateb Taliesin unwaith eto. Jimi George sy'n cerdded mewn gynta, ei siwt bapur wen ymlaen yn barod a'i gês metel yn ei law.

'Siwan,' meddai wrth fy ngweld i. 'Ma'am,' ma fe'n cydnabod Saunders, a hithau'n ei gyfarch yn ôl. 'Allwch chi grynhoi'r sefyllfa i ni?' gofynna.

Dwi'n rhoi amlinelliad o'r hyn sydd wedi digwydd – yr ymosodiad ar Mari yn ei fflat ei hun, ein bod ni'n amau iddi gael ei gwenwyno, a'i bod hi ar y ffordd i'r ysbyty.

'Iawn – fe ewn ni i edrych am olion bysedd i ddechre, 'te,' ma Jimi'n dweud. 'Pwy sydd wedi bod yma yn y fflat, heblaw am y ddynes oedd yn byw yma, y llofrudd a chi'ch dwy? Unrhyw un?'

'Macleavey,' atebaf. Ma Jimi'n syllu arna i.

'Taliesin Macleavey?' gofynna'n syn.

'Ie, oedd e'n nabod Mari,' meddaf, cyn ychwanegu. 'Ma hi'n stori hir.'

Dwi'n ddiolchgar pan ma Jimi yn derbyn hynny fel ateb heb ofyn dim pellach, ac yn troi i esbonio i weddill y tîm fforensig lle i ddechre'r gwaith. Gyda hynny, ma fy ffôn i'n canu.

'Ditectif Mathews,' atebaf.

'Mathews – Savage sy'ma,' daw'r llais.

'Be sy gyda ti?' gofynnaf, yn awyddus i glywed y datblygiadau diweddara ond hefyd yn poeni beth sydd wedi digwydd. Ydy Mari wedi marw? Ydy Taliesin wedi marw?

'Wnest ti ofyn am gael gwybod os oedd adroddiadau am unrhyw un yn ymddwyn yn rhyfedd o gwmpas y clogwyni?' ma Savage yn ateb. 'Wel, fe ffoniodd boi oedd mas yn cerdded ei gi rhyw bum munud 'nôl yn dweud ei fod e wedi gweld dwy ddynes ar ochr y clogwyn ar Consti – un fel petai hi'n cysgu, neu'n ddiymadferth, a'r llall a'i choesau dros yr ochr, yn edrych mas i'r môr. Fe ofynnodd e iddyn nhw os o'n nhw'n iawn, ac oedd e'n poeni digon am beth welodd e i adael i ni wybod.'

'OK – diolch, Savage. Aros ar y lein am eiliad, 'nei di?' Dwi'n troi at Saunders ac yn ailadrodd y newyddion iddi. 'Ma'n rhaid taw dyna hi, chi ddim yn meddwl?' gofynnaf.

Ma Saunders yn estyn ei llaw i gymryd fy ffôn, ac yn ei ddal at ei chlust.

'Savage?' gofynna. 'Saunders sy'ma. Nawr gwranda'n astud iawn. Ma ishe i ti anfon pob car iwnifform alli di i dop Consti, ond gweda wrthyn nhw i fod yn ofalus, ac mor dawel â phosib – dim goleuadau, dim seirens. Gweda wrthyn nhw i beidio â mynd yn agos at y ddwy ddynes nes i ni gyrraedd, iawn?' Ma 'na saib wrth i Savage gadarnhau ei fod yn deall. 'A gweda wrth yr uned arfog i fynd yna hefyd, ond eto – ma ishe iddyn nhw aros nes 'mod i'n cyrraedd cyn gwneud unrhyw beth. A gofyn i wylwyr y glannau fod yn barod hefyd, rhag ofn fod rhywbeth yn mynd o'i le ar y clogwyn yna.' Dwi'n clywed Savage yn cydnabod y neges, ac ma Saunders yn gorffen yr alwad, ac yn rhoi'r ffôn yn ôl i mi. Ma Jimi George yn syllu ar y ddwy ohonon ni yn ein tro, yn ceisio deall beth sy'n digwydd.

'Dere,' ma Saunders yn dweud wrtha i. 'Ni'n mynd.'

Taliesin

O fewn dim i ddechrau brasgamu i fyny'r llwybr caregog roeddwn i allan o wynt, ac erbyn hyn dwi wedi rhoi'r gorau i redeg ac yn ceisio cerdded mor gyflym ag y medra i yn lle hynny. Mae defnydd fy nghrys yn glynu at fy nghefn gyda chyfuniad o chwys a glaw, ac mae'r gwynt fel petai'n ceisio fy ngwthio yn ôl i lawr y llwybr gyda phob cam. Dwi'n pasio mainc bren wrth ochr y llwybr, ac yn gwthio fy hun i symud yn gyflymach, tra 'mod i'n diawlio i mi adael unrhyw ffitrwydd oedd gen i i ddirywio cymaint.

Does gen i ddim syniad faint o amser dwi wedi bod yn dringo bellach. Deng munud? Mwy falle? O'r diwedd, gyda 'ngwynt yn fy nwrn, dwi'n cyrraedd copa dringfa fach, ac o'r man hwn fe fedra i weld y llwybr yn agor allan o 'mlaen i am ganllath a mwy. Trwy'r glaw, fe alla i weld siâp du ar ochr y clogwyn, a darn gwastad o laswellt ar bwys y llwybr. Dwi'n dechrau rhedeg eto, ac wrth i mi agosáu sylweddolaf taw dim un siâp dwi'n ei weld, ond dau – un person yn eistedd ar ochr y clogwyn, ac un arall yn gorwedd ar y gwair. Does dim i awgrymu bod y corff sy'n gorwedd yn ymwybodol hyd yn oed, ond mae'r un sy'n eistedd yn syllu allan i'r môr, fel petai mewn perlewyg.

Mewn dim dwi'n ddigon agos i adnabod yr un sydd ar ei heistedd. Hi yw'r ferch o'r cyfarfodydd Alcoholics Anhysbys – Beth Parker-Morrow.

E

Dwi'n clywed sŵn rhywun yn rhedeg ar y llwybr, y cerrig mân yn crensian dan ei draed. Pryd fydda i'n gallu mynd i redeg nesaf? gofynnaf i mi fy hun. Fydda i byth yn cael cyfle i redeg y llwybr hwn eto?

Mae'r sŵn yn agosáu, ac yna'n peidio yn sydyn, gan adael dim ond y glaw yn diferu ar y llawr o'n cwmpas, a'r gwynt yn chwibanu dros y clogwyni.

'Ti,' mae llais yn dweud tu ôl i mi. 'Ti wedi lladd Mari.'

Mae fy nghalon yn neidio wrth i mi adnabod y llais yna. Dwi'n troi ac yn codi ar yr un pryd gan anghofio fod pen Alaw yn fy nghôl i o hyd. Mae ei chorff yn symud wrth i mi godi cyn disgyn yn ôl yn drwm i'r llawr, ei braich hi'n hongian dros ochr y clogwyn.

'Taliesin' ebychaf. 'Wnest ti ddod! Ti yma!'

Taliesin

Dwi'n teimlo'r awydd i neidio am Beth Parker-Morrow, cael gafael yn ei gwddf a gwasgu, gwasgu, gwasgu. Yr unig beth sy'n fy atal i rhag gwneud hynny yw fod corff y ddynes arall, yr un oedd â'i phen yng nghôl Parker-Morrow, bellach yn gorwedd ar ymyl y clogwyn. Mi fyddai'r cyffyrddiad lleiaf yn ddigon i'w hanfon hi dros y dibyn, a hyd yn oed os na fyddai'r cwymp yn ei lladd, dydy hi ddim i weld mewn cyflwr i oroesi'n hir yn y môr islaw. Dwi'n gorfodi fy hun i gymryd anadl hir, a'i ollwng yn araf.

'Beth,' dwi'n ei ddweud o'r diwedd, yn awyddus i'w denu hi ffwrdd oddi wrth y corff diymadferth. 'Ma pedwar person wedi marw. Does dim rhaid i unrhyw un arall gael eu brifo.'

Mae'n syllu arna i am amser hir, yr olwg ar ei hwyneb yn awgrymu ei bod hi'n methu deall yr hyn dwi'n ei ddweud. Yna mae hi'n troi ac yn edrych ar y ddynes wrth ei thraed, fel petai wedi anghofio ei bod hi yna.

'O – hi,' meddai, gan edrych yn ôl arna i. 'Alaw yw ei henw hi ac oes, Taliesin, wrth gwrs bod yn rhaid iddi hi farw hefyd. Dyna pam rydyn ni yma. Dyna'r holl bwynt.' Mae'n gwenu arna i, ac mae'n anfon ias i lawr fy nghefn. 'Dwi wedi dy glywed di ar *Ffeil Drosedd*, yn trafod yr holl lofruddiaethau yna. Ti'n gwbod popeth amdanyn nhw, on'd wyt ti – pob manylyn bach?' Mae ei geiriau'n chwareus nawr, fel petai'n rhannu cyfrinachau gyda phlentyn. 'Ro'n i'n gallu clywed yn dy lais di eu bod nhw'n arwyr i ti, cymaint wyt ti'n eu gwerthfawrogi nhw ac yn edmygu'r hyn wnaethon nhw gyflawni – Krueller, Scroggs, Ortega, Kowalkzyk, a nawr Bachmann. O'n i'n gwybod y bydde ail-greu eu campweithiau nhw yn cael dy sylw di, ac yn dod â ni at ein gilydd o'r diwedd – a nawr dyma ni!'

'Ond, Beth –' dwi'n dechrau ateb, cyn iddi dorri ar fy nhraws.

'Galwa fi'n Elizabeth plis,' meddai. 'Dyna sut wnes i gyflwyno'n hun i ti y tro cynta gwrddon ni, ti'n cofio?'

'Elizabeth,' meddaf. Dwi'n awyddus i'w chadw hi i siarad, ond does gen i ddim syniad at beth mae hi'n cyfeirio. 'Atgoffa fi lle wnaethon ni gwrdd y tro cynta yna?'

Mae rhywbeth yn newid yn ei gwedd – daw fflach o rywbeth i'w llygaid am eiliad. Dicter efallai, neu siom fod gen i ddim syniad ein bod ni wedi cwrdd o'r blaen.

'Wel, mi oedd gen ti lot ar dy feddwl ar y pryd, wrth gwrs,' meddai, yn ceisio cyfiawnhau'r ffaith 'mod i ddim yn cofio. Mae ei gwên wedi pylu rhyw ychydig. 'Tu allan i'r llys ddigwyddodd e, yn ystod yr achos ddaeth teulu Lois Fairchild yn dy erbyn di am ei marwolaeth hi. Dim ond am eiliad neu ddwy wnaethon ni siarad, cyn i ti gael dy dywys i ffwrdd. Ddwedes i "Elizabeth Parker-Morrow ydw i. Diolch am achub fy mywyd i" a wnest ti ddweud "Iawn, Elizabeth", a dyna ni. Ond dwi'n cofio teimlo'r gwreichionyn yn fflachio rhyngddon ni, a 'mod i angen dy weld di eto, i fod gyda ti am byth.'

Does gen i ddim cof o gwbl am hyn, ond mae gen i deimlad y byddai cyfaddef hynny'n gamgymeriad mawr.

'O ie, dwi'n cofio nawr,' atebaf, yn gobeithio fod y celwydd yn swnio'n gredadwy. 'Ond pam wyt ti'n meddwl 'mod i wedi achub dy fywyd di?'

'Oherwydd ti wnaeth ddal Cynan Bould, wrth gwrs,'

meddai, fel petai'r ateb yn amlwg. 'Diolch i ti mae e wedi marw. Taset ti heb wneud hynny fydde fe wedi fy lladd i.'

Wrth iddi siarad, mae Beth yn cymryd un cam bach tuag ata i, ac i ffwrdd oddi wrth gorff Alaw.

'Pam wyt ti'n meddwl y bydde fe wedi dy ladd di?' gofynnaf, yn awyddus i gadw'r sgwrs i fynd.

Mae'r fflach yna yn ei llygaid eto, ond mae'r wên lydan bron â diflannu nawr.

'O'n i'n gobeithio fyddet ti wedi ymchwilio i bwy o'n i ar ôl i ni gwrdd,' meddai, ac erbyn hyn mae yna fin yn ei llais. 'Mae'n rhaid dy fod ti wedi treulio amser yn mynd trwy hen achosion Cynan Bould?'

'Beth… Elizabeth,' dwi'n dechrau ateb, cyn cywiro fy hun. 'Roedd sawl un ohonon ni'n mynd trwy'r achosion ar y pryd – ond dwi eisiau clywed nawr, os wyt ti'n fodlon dweud wrtha i…'

Siwan

'Cymra'r hewl yna, ar y chwith,' ma Saunders yn gorchymyn. Ma'r iwnifform ifanc sydd wrth y llyw yn cymryd y troad, y weipers yn gweithio'n galed i glirio'r glaw, ac yn dilyn y ffordd gul breifet sy'n arwain i ben Consti. O fewn dim fe alla i weld dau gar heddlu wedi eu parcio wrth ochr yr hewl sy'n arwain at y caffi ar dop y bryn, allan o olwg unrhyw un sydd ar yr ochr arall, ar y ddringfa i fyny'r bryn.

Cyn i'r car stopio ma Saunders wedi agor y drws, ac erbyn i mi gamu allan ma hi'n cerdded yn gyflym at y tri iwnifform.

'Wel?' dwi'n ei chlywed hi'n gofyn wrth i mi agosáu. 'Beth yw'r diweddara? Ydych chi wedi eu gweld nhw?'

'Do,' ma un yn ateb, a dwi'n sylweddoli taw Sarjant Rahman yw hwn, yr iwnifform oedd yn gwarchod y llecyn parcio ym Mhontarfynach. 'Mi oedd yna ddwy ddynes i gychwyn – un yn eistedd ar ochr y clogwyn a'r llall yn gorwedd wrth ei hochr – ond y tro diwetha wnaethon ni edrych roedd yr un oedd yn eistedd wedi codi ar ei thraed, ac yn siarad gyda rhyw ddyn.'

'Pa ddyn? Oeddet ti'n nabod e?' ma Saunders yn gofyn yn syth.

'Na – wel, mae'n sefyll â'i gefn tuag aton ni,' ateba Rahman, yn mwytho'i fwstash yn nerfus.

Ma Saunders yn troi ata i.

'Mathews, cer di i edrych, ond gwna'n siŵr nad oes neb yn dy weld di. Wna' i fynd i ddelio gyda'r rhein,' meddai gan edrych dros fy ysgwydd. Dwi'n troi, ac yn gweld 4x4 tywyll yr uned arfog yn agosáu ar yr hewl gul. Ma Saunders yn cerdded i ffwrdd, a finnau'n wynebu'r tri iwnifform eto.

'Beth yw'r ffordd ore?' gofynnaf. Ma Sarjant Rahman yn troi ac yn dechre esbonio pa un fyddai'r llwybr gorau. Wrth iddo siarad, ma llais yn dod dros y radio ar ei frest, ac ma fe'n oedi cyn estyn y radio a gofyn i'r llais ailadrodd y neges ddiwetha.

'Chi yw Ditectif Mathews, ie?' gofynna.

'Ie – pam?' atebaf.

'Neges i chi wrth Sarjant Savage yn yr orsaf.' Mae'n pasio'r radio ata i.

'Mathews yma,' meddaf. Ma'r radio yn bîpian, ac yna dwi'n clywed llais aneglur Savage.

'Mathews – ddwedest ti dy fod ti eisiau diweddariad ar gyflwr Mari?' Dwi'n dal fy anadl. 'Wel, ma'n nhw newydd gysylltu – fe wnaethon nhw lwyddo i gael ei chalon hi i guro eto yn yr ambiwlans, a ma hi yn yr ysbyty nawr. Mae ei chyflwr hi'n ddifrifol o hyd, ond ma'r doctoriaid yn obeithiol y bydd hi'n iawn.' Dwi'n dal fy anadl am sawl eiliad arall, cyn ei chwythu allan.

'Diolch, Savage. Diolch yn fawr.'

Dwi'n pasio'r radio 'nôl, ac yn dechre cerdded lan y llwybr am gopa'r bryn.

E

Mae'r misoedd diwethaf wedi bod yn arwain at y foment hon – yr holl waith, yr holl baratoi, yr holl gynllunio. Popeth yn arwain at yr aduniad yma gyda Taliesin, pan fyddai e'n deall o'r diwedd taw iddo fe y gwnes i hyn i gyd. Mi fyddai e'n gwenu, ac yn fy nghofleidio i falle. Hyd yn oed pan glywais i e'n dweud yn y cyfarfod AA ei fod e'n caru'r Mari yna, ro'n i'n teimlo fel tase 'nghalon i'n cael ei rhwygo o fy mrest i, ond er gwaetha hynny wnes i ddim colli gobaith. Fe fyddwn i'n cael gwared arni, ac mi fyddai Taliesin yn sylweddoli cymaint o'n i'n ei garu fe, ac yn anghofio popeth amdani hi. Dyna oedd y freuddwyd.

Ond dyw Taliesin ddim fel petase fe'n gwerthfawrogi'r hyn dwi wedi ei wneud o gwbwl. Does ganddo fe ddim syniad pwy ydw i go iawn, a does dim cariad na chyffro yn ei wyneb na'i osgo. Mae fel petai e'n amheus ac yn ddig, a dwi'n dechrau teimlo hynny yn fy hunan hefyd.

'Elizabeth Parker o'n i yn wreiddiol,' dwi'n dechrau esbonio, yn cadw llygad craff ar Taliesin. 'Ces i'n magu yng Nghapel Bangor gan fy mam – fe fuodd fy nhad farw pan o'n i'n ddwy. Pan o'n i'n un ar ddeg fe wnaeth mam ailbriodi dyn o'r enw Paul Morrow. Bron yn syth wedi hynny fe wnes i a Paul ddechrau perthynas tu ôl i'w chefn hi – fydde fe'n fy ngalw i'n Elizabeth hefyd. Roedd yn rhaid i ni gadw'r berthynas yn dawel, wrth gwrs – fydde pobol yn meddwl ei fod e'n cymryd mantais arna i, a finne mor ifanc. Ond roedd e *yn* fy ngharu i, fe fydde fe'n dweud hynny drwy'r amser. Fydde Paul yn dod i 'ngweld i yn hwyr y nos, ar ôl i Mam gwympo i gysgu yn ei chadair wedi noson arall o yfed. Fydde fe'n addo y bydde'r ddau ohonon ni'n dianc gyda'n gilydd cyn gynted â phosib.'

Mae Alaw yn dechrau mwmian ar y llawr. Dwi'n edrych arni, ac yna'n troi 'nôl at Taliesin.

'Ond o'n i'n ddiamynedd. Wnes i esgus rhedeg bant, a phan ddaeth yr heddlu o hyd i fi dyma rhywun o'r gwasanaethau cymdeithasol yn dod i siarad â fi – dwi'n siŵr y gelli di ddychmygu pwy...'

'Cynan Bould,' mae Taliesin yn ateb.

'Cynan Bould. Doedd e ddim yn llofrudd bryd hynny, wrth gwrs... Ddwedes i 'mod i wedi rhedeg ffwrdd am fod Mam yn 'y ngham-drin i, yn fy nghuro i ac yn y blaen. Allwn i weld nad oedd Cynan Bould yn fy nghredu i'n llwyr – roedd e'n gofyn lot o gwestiynau am Paul, ac am ei berthynas gyda Mam a fi, ond wnes i sticio at fy stori. Fe holwyd Mam gan y gwasanaethau cymdeithasol a'r heddlu, ac fe wadodd hi'r cwbwl wrth gwrs. Pan ddaeth hi 'nôl adre roedd hi eisie gwbod pam 'mod i'n dweud y fath gelwyddau. Fe golles i 'nhymer, a'i gwthio hi i lawr y grisiau. Fuodd hi farw'n syth. Wnes i ddweud ei bod hi'n flin gyda fi am redeg bant, ei bod hi wedi trio ymosod arna i, a fe wnaeth Paul dystio bod hynny'n wir.'

'A dyna pam oeddet ti'n meddwl y byddai Cynan Bould am dy ladd di,' mae Taliesin yn dweud. 'I ddial am farwolaeth dy fam.'

Dros ei ysgwydd dwi'n sylwi ar rywbeth yn symud – dynes yn cerdded i fyny'r llwybr ar ben pella'r bryn, yn sbecian draw ac yna'n troi'n ôl. Dwi'n ystwytho, ac yn dechrau edrych o 'nghwmpas, ond mae popeth yn llonydd eto.

'Ie, wrth gwrs,' dwi'n cario 'mlaen. 'Fe arhosodd Paul am

ryw flwyddyn wedyn. O'n ni'n hapus i gychwyn, ond yn fuan fe ddechreuodd e golli diddordeb, a symudodd e 'mlaen. Oedd yn rhaid i fi fynd mewn i'r system ofal wedi hynny, ac fe es i ar goll am amser hir wedyn, heb unrhyw angor i 'mywyd. Ar ôl gadael y system, wnes i symud o gwmpas, o un berthynas i'r llall – dynion, menywod, doedd dim gwahaniaeth 'da fi. Ac wedyn, flynyddoedd wedyn, wnes i glywed amdanat ti, a sut wnest ti'n achub i rhag Cynan Bould, ac o'r foment honno ro'n i'n gwbod. Gwbod taw ti oedd yr un i'n achub i. Gwbod 'mod i angen denu dy sylw di, i neud i ti weld faint o'n i'n dy garu di, a'n bod ni angen bod gyda'n gilydd.'

Yna, o gornel fy llygad, gwelaf rywbeth yn symud tu ôl i wrych hanner canllath i ffwrdd. Erbyn i mi graffu mae popeth yn llonydd eto, ond wedyn mae pen yn ymddangos, cyn diflannu eto bron yn syth – pen mewn mwgwd du. Dwi'n troi'n ôl at Taliesin eto, yn gandryll wrth sylweddoli ei fod e wedi dod â'r heddlu gyda fe. Fedra i deimlo'r dicter yn llifo trwydda i, fel yr adeg pan wnaeth Paul adael flynyddoedd ynghynt.

'O'n i'n meddwl y bydde lladd Mari yn cael gwared ar y rhwystr ola,' poeraf. 'Wnest ti dorri fy nghalon i, yn siarad amdani fel'na yn y cyfarfod AA, dy glywed di'n dweud yr holl bethe o'n i eisiau i ti ddweud amdana i. Ond yn amlwg, doedd hynna ddim yn ddigon i ti – mae'n amlwg dwi dal angen profi'n hun. Wel dyma ti, 'te – beth am hyn?' Gyda hynny dwi'n troi, ac yn estyn allan i wthio Alaw dros ochr y clogwyn i'r gwagle oddi tano.

Taliesin

Eiliad sydd gen i i ymateb.

Llai na hynny.

Ond yn yr amrantiad yna mae'r delweddau yn llifo i'n meddwl i – rhai yn dod i fy nghof, ac eraill wedi eu creu yn fy nychymyg.

Lois Fairchild yn llonyddu wrth i mi ddal y glustog dros ei hwyneb.

Rosa Krajicek yn gorwedd mewn bàth wedi ei hamgylchynu â chanhwyllau.

Reg Watson, ar ei ben ei hun mewn coedwig, ei lygaid yn wag tu ôl i haenen o blastig.

Eric Esiason, yn gweddïo am ei fywyd.

A Mari.

Mari, yn gorwedd yn ddiymadferth, y bywyd yn dianc o'i chorff wrth i'r gwenwyn wneud ei waith.

Mari, yng nghefn yr ambiwlans, ei chorff yn gwingo wrth i'r trydan lifo trwyddo.

Mari, yn gwenu arna i, yn gwrando arna i, yn rhoi cusan ar fy moch.

Pob un yn ddiniwed, pob un wedi marw, a'u gwaed nhw ar fy nwylo i.

Fedra i ddim gadael i hyn ddigwydd eto.

Dwi'n gwthio'n hun ymlaen, yn neidio at Beth wrth iddi ymestyn i wthio Alaw. Mae'n hanner troi i fy wynebu i, ond mae'n rhy hwyr erbyn hynny. Dwi'n glanio arni, fy mhwysau'n ei gwthio hi 'nôl, ei braich yn ymestyn at Alaw ond yn methu â'i chyrraedd. Mae'n cymryd un cam 'nôl, a cham arall – ond mae'r tir o dan ei thraed yn wlyb ac yn llithrig, ac yna'n diflannu yn gyfangwbl.

Dwi'n gafael ynddi, wrthi iddi ddisgyn dros y dibyn, ac yna mae'r ddau ohonon ni'n syrthio, ac yn syrthio, ac yn syrthio, gyda llun o Mari yn fy meddwl i o hyd.

Siwan

Dwi'n clywed y waedd wrth aelodau'r uned arfog sydd erbyn hyn mewn safleodd gwahanol yn nes at gopa'r bryn.

'Go! Go! Go!'

Dwi'n gwbod yn syth bod rhwbeth o'i le – roedd Saunders yn gwbwl glir gyda Sarjant Pritchett, pennaeth yr uned arfog, doedd neb i fod i wneud unrhyw beth heb ei chaniatâd hi. Ond yn sydyn ma'r uned gyfan yn symud fel un, dros gopa'r bryn, heibio adeilad y caffi, i gyfeiriad y clogwyn.

Ma'r tri iwnifform sy'n sefyll gerllaw yn oedi am eiliad, ac yna'n eu dilyn nhw.

Ac yna dwi'n rhedeg gyda Saunders, a Sarjant Pritchett, a phawb arall, dros y gwair gwlyb, y gwynt yn fy wyneb, mor gyflym ag y medra i. Wrth i mi agosáu at y man lle welais i Taliesin yn sefyll, gwelaf sawl aelod o'r uned arfog yn codi corff dynes o'r llawr – yr un oedd yn gorwedd yna ynghynt. Ond does dim golwg o Beth Parker-Morrow, na Taliesin.

'Taliesin!' gwaeddaf nerth fy mhen, yn deall beth sydd wedi digwydd, ond yn gwrthod credu. 'Taliesin!' Ma un o'r iwnifforms oedd yn sefyll gyda Sarjant Rahman wedi cyrraedd o 'mlaen i, ac yn troi wrth i mi agosáu ac yn fy stopio i rhag mynd dim pellach.

'Dyw hi ddim yn saff yma, dewch nôl o'r dibyn,' meddai, ond dwi'n ei wthio fe mas o'r ffordd, ac yn mynd ar fy ngliniau i edrych dros y dibyn.

Ma llais Saunders yn y cefndir rhywle, yn gweiddi i mewn i'r radio, yn galw am wylwyr y glannau.

'Taliesin!' dwi'n gweiddi eto. Ond does dim i'w weld, dim ond tonnau'r môr yn curo yn erbyn gwaelod y clogwyn.

Mari

Mae popeth yn brifo – fy ngwddf, fy nghefn, fy mhen. Does gen i ddim syniad lle ydw i. Fedra i ddim symud yn iawn. Yna dwi'n cofio – y poteli Malibu bychain yn cael eu gwthio i fy ngheg i, yr hylif yn llifo dros fy nhafod, a finnau'n ceisio peidio â llyncu, ond yn y diwedd doedd gen i ddim dewis.

Dwi'n brwydro i eistedd fyny, ac yn teimlo pâr o ddwylo ar fy ysgwyddau, yn ceisio fy ngwthio i 'nôl i lawr.

'Ymlaciwch, ymlaciwch,' mae llais dwfn, gwrywaidd yn dweud. 'Chi yn yr ysbyty, a chi'n saff. Chi'n saff.'

Yn sydyn dwi'n teimlo'n wan eto, ac yn syrthio 'nôl ar y gwely.

'Dyna ni,' mae'r llais yn dweud yn garedig. 'Dyna ni.'

Siwan

Duw a ŵyr pa mor hir fues i'n eistedd wrth ochr y clogwyn, y dagrau'n llifo i lawr fy mochau. Ma rhywun wedi gosod cot drwchus dros fy sgwyddau.

Ma Saunders yn sefyll gerllaw, radio wrth ei chlust, yn gwrando'n astud am unrhyw newyddion gan griw llong gwylwyr y glannau ar y môr wrth waelod y clogwyn. Ma hithe'n crio hefyd.

Gafodd y ddynes oedd yn gorwedd ar y llawr ei harwain ffwrdd i aros am yr ambiwlans, ond fe ddiflannodd yr uned arfog. Ma'r criw iwnifform yn dal i sefyll o gwmpas. Does neb yn siarad, neb yn siŵr beth i'w wneud, dim ond sefyll yn y glaw a'r gwynt, ac aros.

Yn sydyn daw neges ar radio Saunders, ac ma pawb yn troi i'w hwynebu hi. Ma hi'n gwrando'n astud, cyn rhoi ei llaw at ei llygaid am dipyn.

'Dau gorff wedi eu tynnu o'r môr,' meddai mewn llais bach, tawel.

Mari

Mae fy ngwefusau a 'nhafod yn sych, ac mae'n llosgi i lyncu hyd yn oed, ond wrth i mi orwedd lawr dwi'n llwyddo i sibrwd un frawddeg fach.

'Lle ma Taliesin?'

MJ

Dwi wedi treulio'r diwrnod ers i Taliesin adael yn gwylio'r newyddion. Mae'r gohebwyr yn dal i ddod o hyd i ffyrdd newydd o drin a thrafod yr un wybodaeth am achos Eric Esiason, sydd wedi bod yn cael ei drin a'i drafod ers bore 'ma. Mae Lowri'n cerdded i'r stafell fyw, ac yn rhoi gwydraid o ddŵr a dwy dabled fach wen ar y bwrdd wrth fy ymyl cyn eistedd ar y soffa.

'Unrhyw beth newydd?' gofynna.

'Na, dim byd. Sai'n credu fydd 'na fwy o ddatblygiadau heddi, ma'r pethe 'ma'n cymryd amser,' atebaf.

Dwi'n llyncu'r ddwy dabled gyda chegaid o ddŵr. Mae'r rhai hyn yn fy ngwneud i'n gysglyd.

'Neis fod Taliesin wedi galw yn gynharach, ondefe,' mae Lowri'n ddweud ar ôl tipyn. 'Ti'n meddwl ddeith e 'nôl i dy weld di eto?'

'Gobeithio,' atebaf wrth gau fy llygaid. 'Ond mae'n anodd gwbod gyda Taliesin.'

Siwan

Ma braich Saunders o 'nghwmpas i wrth i ni gerdded am y car. Yn sydyn dwi'n teimlo 'mod i angen bod adre, yn cwtsho Iolo a'r merched.

Dwi'n ceisio cofio beth oedd fy ngeiriau ola i Taliesin, cyn iddo ddiflannu o fflat Mari. Dim beth fyddwn i wedi ddweud petawn i'n gwbod taw dyna'r tro ola y byddwn i'n ei weld e, ma hynny'n bendant.

Dwi'n sibrwd fy ffarwél i Taliesin gyda dagrau yn fy llygaid, ac mae'r geiriau'n cael eu chwipio ffwrdd gan y gwynt wrth i mi eu hyngan nhw.

Taliesin

Fedra i ddim anadlu. Dwi'n teimlo'n wlyb. Dwi'n trio peswch, ac mae dŵr hallt yn llifo'n ddi-baid o'n ysgyfaint ac allan trwy 'ngheg. Mae popeth yn symud, fel petai'r byd cyfan yn troi ar ei echel.

'Hei – ma hwn dal yn fyw!' dwi'n clywed llais anghyfarwydd yn galw. Mae pâr o ddwylo cryf mewn menig trwchus yn gafael ynddo i ac yn fy nhroi ar fy ochr. Dwi'n dal i chwydu'r dŵr afiach nes bod y llif yn gorffen, ac yna'n dechrau pesychu eto wrth geisio tynnu'r awyr mewn. Mae yna ddau neu dri llais o'm cwmpas i nawr, ond fedra i ddim clywed eu geiriau nhw'n iawn. Mae'r dwylo cryf yn lapio blanced amdana i.

Does gen i ddim syniad lle rydw i, na sut wnes i gyrraedd yma. Mae popeth yn aneglur, yn llwyd, yn rhyfedd.

Mae'r byd yn dal i droi o 'nghwmpas i, a dwi'n ymbalfalu am un peth cadarn, clir i ganolbwyntio arno. Mae un ddelwedd glir yn neidio i 'meddwl i, yn codi ac yn torri fy nghalon ar yr un pryd.

Mari.

Hefyd gan yr awdur:

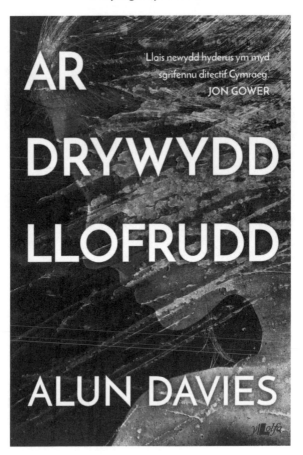

AR
DRYWYDD
LLOFRUDD

'Llais newydd hyderus ym myd
sgrifennu ditectif Cymraeg.'
JON GOWER

ALUN DAVIES

£8.99

AR
LWYBR
DIAL

'Nofel sy'n werth
colli cwsg drosti.'
Richard Harrington

ALUN DAVIES

£8.99

Hefyd o'r Lolfa:

'Chwip o nofel sy'n mynd â'r darllenydd
ar daith igam-ogam ar draws Cymru.'
IFAN MORGAN JONES

LLWYD OWEN

**RHEDEG
I PARYS**

y Lolfa

£8.99

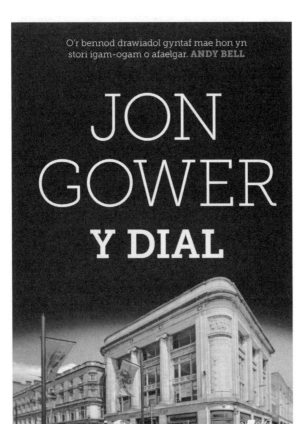

O'r bennod drawiadol gyntaf mae hon yn
stori igam-ogam o afaelgar. **ANDY BELL**

JON
GOWER

Y DIAL

£8.99

HELA

ALED HUGHES

£8.99

Niwl Ddoe

Geraint
V. Jones

y Lolfa

£9.99

Ifan Morgan Jones

B R O
D O R
I O N

'Chwip o antur' **JON GOWER**

y Lolfa

£8.99